国家出版基金项目
NATIONAL PUBLICATION FOUNDATION

《三联经典文库》

第二辑

2012年国家出版基金项目

《三联经典文库》编辑委员会名单

三联经典文库

148

中国经济的道路

许涤新　著

生活·讀書·新知 三联书店

图书在版编目(CIP)数据

中国经济的道路 / 许涤新著. -- 北京 : 生活·读书·新知三联书店, 2014.1
（三联经典文库第二辑）
ISBN 978-7-108-04666-6

Ⅰ. ①中… Ⅱ. ①许… Ⅲ. ①中国经济－经济史－研究 Ⅳ. ①F129

中国版本图书馆CIP数据核字(2013)第246637号

148 中国经济的道路

责任编辑	戴云波
封扉设计	蔡立国
责任印制	常宁强
出版发行	生活·讀書·新知 三联书店 (北京市东城区美术馆东街22号)
邮　　编	100010
经　　销	新华书店
印　　刷	北京鹏润伟业印刷有限公司
版　　次	2014年1月北京第1版　2014年1月北京第1次印刷
开　　本	787毫米×1092毫米 1/32　印张 12.125
字　　数	170千字
定　　价	44.00元

《三联经典文库》出版缘起

适逢生活·读书·新知三联书店八十华诞，为弘扬传统，接续文脉，回报读者，服务社会，我们决定策划出版《三联经典文库》。

1932年7月，生活书店在上海创办，此后，读书出版社和新知书店相继成立。本文库第一辑、第二辑所选图书，来自于这三家出版单位及其分支机构，以及1948年生活·读书·新知三联书店成立后的出版物，始于1932年，截至1951年，两辑各一百种。此为第二辑，涉及政治、经济、社会、军事、思想文化诸领域，涵盖专著、文集、散文、小说、诗歌、传记、报道等体裁，既有直面现实、追求真理、讴歌真善美、抨击假恶丑的原创作品，又有引介世界各国先进文化、传播新知、开启民智的迻译之作，真实记录了那一代知识分子的思考与探索、理想与愿景和对中华民族文化传承与创新所做出的努力与贡献。

本文库所辑入各书，多为名家名作，在版本方面，以初版一印本或经著译编者审定、修订、增订过的版本为首选，因此本文库又具有较为珍贵的版本价值和收藏价值。

本文库还将编选续辑，使之成为恢弘文化工程。诚挚希望读者给予批评和指正，帮助我们完善编选工作，再现三联经典作品之风采。殊为遗憾的是，由于年代久远，一些原著译编者及其后人未能取得联系并奉付稿酬，诚盼版权所有者与我们联系。祈愿三联前辈所创造的精神财富能薪火相传，为中华文化的伟大复兴增光添彩。

《三联经典文库》编辑委员会

2013 年 8 月

凡　例

一、本文库为重排本，由繁体字竖排版改为简体字横排版。

一、以忠实于原作、整旧如旧为编辑原则，对当时使用的专有名词、外文译名，以及民国时期的语言和特色予以保留。

一、原书注释如旧，编者所出的注释，均以“编者注”标明，以示与原书注释的区别。

一、对原书残缺或字迹漫漶之处，以□示代。

一、对繁简文本转换时的“如右”、“见左”一类，对应改为“如上（前）”、“见下（后）”。

一、对原书中各种错讹脱衍之处，直接订正，不再以其他符号标示。

一、对数字、标点符号的用法，在不损害原文语义的情况下，做必要的规范。

一、本文库各书均前插原书书影、原书版权页和文库版“本书出版说明”。

一、本书出版说明的撰写，以客观中立为原则，扼要介绍本书的内容、版本流转、著译编者的情况。

本书出版说明

本书系我国经济学家许涤新于二十世纪四十年代出版的一部分析近百年来中国经济的变化历程及结构特点、辨析中国经济应当选择什么样的道路、阐释关于中国经济选择新民主主义道路下所应采取的一系列土地政策、工业政策、贸易政策、金融与税收政策等方面问题的经济学著作，作者最后在“结论”一节中着重指出，要推动经济的有序运行仍需有民主政治作保障。本书对于研究中国经济道路的选择与分析政策上的决策依据等都有很重要的参考价值与资料意义。

本书由生活书店于 1946 年 6 月初版，1947 年 4 月再次出版，本次出版即以再版本为底本。

作者许涤新（1906-1988），广东揭阳人。二十世纪二十年代，曾于中山大学、厦门大学、上海劳动大学学习。1933 年加入中国共产党。曾任中国社会科学家联盟党组书记、中共上海局文化委员会委员。抗战期间，任武汉、重庆《新华日报》编辑、社论委员会委员，《群众》杂志主编等。1945—1949 期间，出任香港《群众》周刊编委，创办《经济导报》。1949 年后，历任上海市委委员、统战部长，华东局财政委员会委员、上海市财政委员会副主任、工商局局长，中共中央统战部副部长，国家行政管理局局长，中国社会科学院副院长兼经济研究所所长，汕头大学校长，中国统一战线理论研究会副会长，中国大百科全书总编委会委员和经济学分卷编委会主任。历任第一、三届全国人大代表，第五、六届全国人大常委。主要著作有《中国经济的道路》和《官僚资本论》（1946 年）、《生态经济学探索》（1985 年）等，主编《政治经济学辞典》（上中下，1980-1981）等。

生活 · 读书 · 新知三联书店

2013 年 8 月

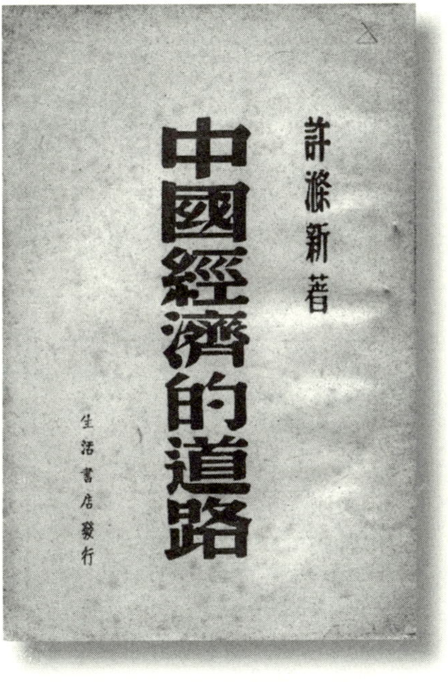

生活书店 1947 年 4 月二版书影

中國經濟的道路

著者　許滌新
發行人　徐伯昕
發行者　生活書店　上海　重慶
總經售　各地光華書店

中華民國三十五年六月初版
中華民國三十六年四月二版

NO. 34 D. 1—2000

原书版权页

目 次

前言　建设一个富强而幸福的中国　1

第一章　近百年中国经济的变化　7

一　从封建经济转变为半殖民地半封建经济　7

二　半殖民地半封建经济的特征　19

三　从半殖民地半封建经济沦为殖民地半殖民地半封建经济　51

四　战时中国经济的变化　67

第二章　中国的经济结构　99

一　六种经济关系　99

二　列强在华的势力　100

三　各种私人资本　102

四　封建的生产关系——地主经济　124

五　小有产者的经济　131

六　合作经济　140

七　公营经济　151

八　中国经济结构的特点　165

第三章　中国经济的道路　177

一　我们要走什么路？　177

二　不能走回头路　179

三　欧美资本主义的旧路呢？　183

四　社会主义呢？　194

五　只有走新民主主义的道路　201

第四章　财政经济政策　223

一　新的财政经济政策的重要性　223

二　土地政策与农业政策　227

三　工业政策与劳动政策　265

四　贸易运输政策　290

五　金融政策　311

六　财政政策　332

结论　需要民主政治作保障　353

校后记　365

前言　建设一个富强而幸福的中国

经历了数千年长期封建社会的中国，是一个沉滞而落后的国度。虽则欧美的资本主义用着价廉物美的商品炸弹，向它进行长期的轰击，但以“祖传”和“秘制”为特色的经营方法，依然一脉相承的传下来。七十八年前，马克斯在写《资本论》的“序言”的时候，很沉痛地指出德国经济的落后性。他说：

在其他范围，德国是像西欧大陆各国一样，不仅受资本主义生产发达的苦，而且受资本主义生产不发达的苦。除了近代生活所特有的种种痛苦，还有许多旧传的痛苦，压迫着我们。这种种旧传的痛苦，是古生产方法依然残存的结果，而这种古生产方法的残存，自然会引起种种时代错误的社会关系与政治关系。我们不仅吃生者的亏，且吃死者的亏。死者叫生者烦恼。

百年来中国的处境，是远不及七八十年前的德国的。资本主义生产发展的程度，远不及当时的德国；而“死者叫生者烦恼”的程度，则远超过当时的德国。较诸英国，当时德国的产业显然是落后的，但是，产业虽则落后，它还不至于像百年来的中国一般，沉沦入殖民地半殖民地的苦海。中国的人民，不仅吃“本国人”的亏，而且吃着“外国人”——帝国主义列强的亏。

中国这种地位是不能让它再延续下去的。一百年来，我们这个民族前仆后继地为着解放，为脱离这种处境而苦斗。伊里奇对中华民族的这种苦斗，是无限钦佩的，他在论及“中国的民主主义与民粹主义”时写道：

我们看到真正伟大民族的真正伟大思想，该民族不仅善于因自己长期的奴隶状况而痛哭，不仅善于梦想自由平等，而且还善于去向长期压迫中国的人作斗争。

中国人民的解放，是“非胜利不可”的。它一定要胜利！八年的抗战，是近百年来民族解放运动最紧张最剧烈的一幕。这样的流血，这样的牺牲，其目的是在争取一个独立自由而富强的新中国。这个新中国，不是战时的支离破碎的局面，更不是昨天那种“祖传”“秘制”的古旧的局面，而是一个农民有田种，工人有工做，学生有书读的富强而幸福的国家。

打了八年，抗战算是胜利了。是不是鞭炮一响，万事就大吉大利的可以不管呢？是不是这个能够照顾各方，使人各得其所的新中国，就自然而然的像成熟的苹果从树上掉下来一样呢？不是的，当然不是的。打了八年仗，破碎的河山，残旧的生产机关，都急待我们去整理，去建造。没有千千万万的产业工人，手工业者，农民，厂家，技师和经济工作人员之努力，没有正确的财政经济政策之领导与推动，崭新的中国经济是没法产生的。

但是，要改造中国，是不能无视客观现实的。没有了解客观的实际状况，断难提出正确的切实的主张。今天的中国，是由昨天的中国发展下来的；明天的中国所要走的道路，当然不能与今天的中国绝缘。因此，我们所欲缔造的中国，必不能抹杀客观的现实，必不能无视近百年的历史的发展，必不能像乌托邦的社会主义者一般，跨越实际条件去建设理想中的天堂。

这一本小书，就是以上述的精神为原则的，更具体来说，可以分成四部分：

第一是近百年来中国经济的变化。在这里，我们所注意的问题是中国怎样从封建经济降到半殖民地半封建的经济；又怎样从半殖民地半封建经济沦为殖民地半殖民地半封建的经济；更怎样在殖民地半殖民地半封建经济的火坑中挣扎，怎样在水深火热的灾难深重的苦境，找出一条光明的道路来。我们的任务虽然不在写经济史，虽然不把经济史实作为主要的内容，但对于每一时期的经济动向和各种经济力量的消长，是不能不加以适当的叙述的。

第二，在“史的发展”的叙述之后，我们必须进而作一个横断面的分析。看看现在还存在中国的一些因素；看看那一个因素是快要没落的，那一个因素是快要发展的；看看那一个因素必须使其更削弱，那一个因素必须使其更加发展。只有弄清了这一点，才能明白各种经济力量的消长，才能使自己不被一些片面的现象所蒙蔽。

第三是探讨中国今后应走的道路。摆在我们的面前，道路似乎很多。回头走是一条路；欧美旧民主主义是一条路；最新式的社会主义经济又是一条路。回头路是一条死路，千万走不得；至于欧美的旧民主主义和苏联的社会主义，以中国今天的现实条件而论，是不是具备了呢，是不是适合呢，如果不适合，那，我们又将走什么路呢？

第四，要建设新中国，必须有一套正确而切实的财政经济政策。在这里，我们将对土地、农业、工业、劳动、交通运输、金融与财政等政策，作原则性的建议。没有正确的经济政策，断没法建设新中国的经济。故这一部分将接触着一些比较具体的问题，将成为较具实际意义的一部分。

除此之外，还要谈一谈实现这种新型经济的政治上的保障。

抗战胜利了，和平建设正要开始。在这个时候，让我们对中国经济，作一个回顾与展望吧！

第一章　近百年中国经济的变化

一　从封建经济转变为半殖民地半封建经济

认识中国经济的实际状况，是缔造新中国的社会经济的第一步工作。但是我们并不须回溯到遥远的原始社会，把数千年的中国社会经济史拿来探讨一番。这儿需要我们去认识，去把握的，乃是与现在最有关系的近代经济——近百年来的中国经济。

近代的中国经济，应以鸦片战争为划分里程的标志，虽然早在明朝的时候，中西交通与贸易就频繁起来，但是欧洲资本主义的商品重炮之击毁了中国的古旧的万里长城，那是从鸦片战争的时候开始的。这一个好像止水不波的中国经济的池沼内，能够起了巨波，那是从鸦片战争的时候开始的。因此，鸦片战争便不能不当做划分里程的标志了。

但是，我们虽无须追溯中国全部经济史，然而把鸦片战争以前，把外国资本主义侵入以前的中国经济，作一个简单的认识，是十分必要的。因为只有这样，才能使我们明确地认清外国资本主义侵入以后，中国经济所起的变化。

鸦片战争以前，中国的生产方法之广大的基础，是由小农业和家内工业的结合而成的。农村成了自给自足的小天地，不论在农业上或手工业上，经营方法的特色是“祖传”和“秘制”。鸦片战争以后不久，有一位英国人在中国作实际调查后，叙述中国那种小农业和家庭工业之结合的情形道：

收获完结的时候，各农家的一切工作人，小的老的，都去梳理棉花，纺纱，织布；这种家庭制造的，笨重而结实的，能够经受两三年内粗糙穿用的土布，中国人就用来缝制自己的衣服，而把剩余的土布拿到近城去出卖，城市商贩，就购买这种剩余土布去供给城市居民及内河船夫的需要。……在其他各国，人民只限于梳理棉花和纺纱的工作，他们的生产过程到这里为止，他们把纺成的纱，交给织匠去织成布匹，只有富裕的中国人，才一定要把一切手续做到底。中国人不仅要梳理棉花和纺成棉纱，而且还与自己的老婆和女儿以及家庭女工一起织成布匹；他的生产不仅只为自己家庭的需要，而且其一大部分的工作时期是用来生产一定量的布匹去供给邻城和内河的居民的。

例如福建的农民，不仅是一个农民而已，他是种田人，又是小手工业者，他生产布匹简直是不费分文的（如果原料的价值不算在内），他在自己农庄屋子里面用自己的妻女和女工的手织成布匹；这种土布底织成，不费特别的劳动，亦不费特别的时间，在田禾未熟的时候，在收获完结之后，在天雨不能操作的时候，他就使农庄的工人纺纱织布。总之，一年当中，只要有一些空闲的时候，这个家庭勤劳的模范人物便从事生产什么有益的东西。

米特切尔先生这种叙写，虽然是在鸦片战争之后不久，但这完全是鸦片战争以前中国的农村的生产情形。这些家庭式的村社建立在手工劳动的基础上。中国的农民，用手工种田，用手工纺织。而在家内手工业与小农业的结合中，经济形式乃是以农业为主。当时的家内手工业，不过是农闲时候的补充工作罢了；至于手工业的原料，主要品是农业的收获（如棉花）。因此，这种小农业和家内工业所结成的自足经济中，生产关系应该着眼于农民与地主的关系。这就是说，资本主义侵入中国以前的经济形式，既以农业为主，则在当时的社会关系中，从直接生产者榨取无偿劳动的形式，必与土地私有制度不能分开。事实上，正是如此。鸦片战争前的农民所生产的东西，大部分是归于地主的。因为农民离开土地便无法生产，而土地却绝大部分是握在地主手中。所以，小规模农业与家庭工业的联合所构成的经济形式，本质上，乃是地主剥削农民的封建经济。顾亭林先生在《日知录》中叙述明代的私租这样写着：

吴中（按即江苏——引者）之民，有田

什一，为人佃作者十九。……岁仅秋禾一熟，一亩之收，不能至三石，少者不过一石余，而私租之重者，至一石二三斗，少者亦八九斗。佃农竭一年之力，粪壅之工作，一亩之费用为一缗，但收获之日，所得不过数斗，有今日完租，明日乞贷者。

清代私租，各地虽有不同，大概取得农民总收获额之一半（见邓初民先生的《中国社会史教程》）。由此可见：当时的自足经济，明明白白是以封建经济为内容的。

自足经济虽然是鸦片战争以前的经济形式，但这并不是说，当时的中国并没有商业，并没有市场，而是说，生产品之变为商品，只有附属的作用而已。农民的多余的自己用不着的东西，是被拿去市场出卖的；但他们却不是为着市场而生产。这种情形，不但在鸦片战争以前的中国如此，就是中世纪的欧洲，亦何尝不如此？不过，中国的封建经济，是有它的特点的。这就是土地之可以自由买卖。

土地之可以自由买卖，是秦汉间开始的。这与欧洲的封建社会，并不相同。在欧洲，只有当封建社会解体时，土地才从领主独占的领有下解放出来，而领主亦就随之而没落。中国则不然，封建社会还没有解体，土地已可自由买卖，而土地之自由买卖，就使商人资本大量向土地投资，形成了“商业资本与封建地主的结合”的局面。在这种情形之下，只要有钱，就可以购得土地，就可以剥削农民。小地主与自耕农的丧失土地所有权，就成为继续不断的现象；而土地的不断集中，亦就成为地主经济的法则了。

土地自由买卖这件事，包含着高利贷商业资本对农民作深度剥削的事实，如“山西人利用河南居民的贫困，以小小的价格购买他们的土地；职此之故，在河南的土地占有，大部分都在山西人手上”。这种情形，说明了土地买卖与高利贷商业资本，是密切的结合着。高利贷商业资本不但与土地之自由买卖结合，而且加强了地主对农民的剥削。因为商业资本愈发达，则靠剥削农民过活的地主，因自己需要增加，剥削益加重，从直接生产者所榨取的剩余生产物，除供自己消费外，并变成商品投向市场中去，以构成地主的商业与高利贷资本发展的基础，所以，商业资本虽然在某种程度上腐蚀了自然经济，但没有破坏封建制度，并且在原有的基础上加强了封建剥削。

这就是鸦片战争以前中国经济的轮廓。这种由小农业与家庭手工业结合的旧中国的生产方法，对于外来资本主义商品，是具有相当抵抗力的。前面所引的那位英国人米特切尔先生又这样的写着：

> 中国人的生活如此俭朴，如此守旧，以致他们穿着他们祖先穿过的衣服，就是说，他们所用的只是必不可少的东西，其余概不需要，……每个中国劳动者的衣服，至少要穿三年，不上三年不换新衣，而且这套衣服，虽做极粗糙的工作也能经穿三年。因此，这种衣服需要的棉花，比我们输到中国去的最重的棉织品所需要的棉花至少要重两倍，换句话说，这种材料要比我们可以运到中国去赚钱的最重的厚布还要重两倍。

穿父亲和祖父的衣服，或者一件衣服穿三四年，有的竟至穿了一辈子。这在三十岁以上的中国人，还是一件很平常的事情。一直到现在，还有不少地方，亦仍如此。这种情形，分明是资本主义商品在中国市场推销的障碍。不过，这种抵抗是有限度的。一来是大规模的机器生产，价廉物美，决非小生产的农家副产物或手工工场的产物所能匹敌；二来是建筑在这种落后的经济基础上的政治和军事，是腐败不堪的。这种腐败不堪的政治和军事，不能阻止资本主义国家进一步地用暴力去破坏中国旧经济的基础。最初是英国，它继续输进大量的鸦片毒药，以吸收中国民间的白银；而满清政府因战败而支付给列强的赔款，是经过赋税方式从广大农民和手工业者的身上榨取下来的。这就使大批人民倾家荡产，使中国农民生产工业原料品，使他们逐渐离开自己手工业的副业。这么一来，中国旧经济的基础便被破坏了。

鸦片战争所缔结的《南京条约》，中国除了割让香港之外，又承认了五口通商，使资本主义国家得到了深入内地的重要据点；协定海关税率的规定，则使中国失去关税自主的权利，使外国能利用这种武器以控制中国工商业；而在各通商口岸得购买或租借土地以建筑房屋一项，不久便形成为租界。在《南京条约》订立后第二年（一八四三），又与英国订立《虎门补遗条约》，除规定值百抽五的关税外，并规定片面的最惠国待遇和领事裁判权。在这种情形之下，外国商品对中国经济的优越压力，除了价廉物美的特点之外，更有不平等条约上所规定的这些特点。跟着英国，美，法，比，瑞典，挪威等国，亦相继与中国订立同一性质的条约，欧美各国对华的经济侵略，便一天天地扩大了。到了一八五八年（咸丰八年），英法联军攻陷大沽，强迫中国订立《天津条约》以后，各国对于中国的侵略，更有一层的保障。《天津条约》除赔款（英法各八百万两），增开商埠（天津汉口南京等十余处），扩大领事裁判权的范围外，关税方面，尚有入口物缴纳子口半税百分之二点五后沿途便不得重征；交通方面外国商轮军舰可以自由航行各通商口岸等规定。于是，各资本主义国家，便进一步以通商口岸和租界或割让地为根据地，以协定关税和领事裁判权为护符，以本国的船舶装载商品，自由推销其商品到中国的内地去了。

在这种情形之下，中国是被淹没在国际市场之中的，出入口贸易特别是入口贸易的数量，是一天比一天增加了。中国有海关报告，是从同治三年（一八六四）开始的，按照那个报告的统计，一八六四年中国在贸易上还是出超（过去鸦片贸易的大漏卮，是当然没有统计）。这年正是太平天国失败的一年，从次年起，就马上转到入超了。后来除开一八七二——一八七六这几年是出超的数目外，一直是被继续增长的入超所支配着的。到了一八九三年输入的商品总值已达一万万五千万两以上，输出贸易总值已达二万万六千万余两。这是颇为可惊的数字！它给予中国的自给自足的旧经济的打击，是何等沉重啊！就这般，古老的中国，就一步一步地变成资本主义列强特权占有的市场了；中国的资本主义，就一步一步被推动着发展起来了。咸丰十一年（一八六一）福州机器制茶厂，同治二年（一八六三）上海机器碾米厂，与上海的江南制造局的出现，便是明证。由于中国一面成为资本主义列强的特权所占有的市场；一面又在旧经济的破坏中逐渐生长了资本主义，所以它一面走向半殖民地化，同时又走向半封建化。

中国半殖民地半封建经济的完全形成，应以中日战争为标记，而这一点和资本主义变成帝国主义是密切地联系在一起的。从自由竞争的资本主义转化为垄断独占的资本——帝国主义，是从十九世纪末叶开始的。资本主义以商品输出为特征，而资本——帝国主义则是以资本之输出为特征的。在独占和输出资本的时代，殖民地的意义，较诸输出商品时代，是大大增加的。殖民地成了各独占团体相互斗争中的一个重要的武器，特别是各国市场都高筑关税壁垒的时候，殖民地是独占团体销货的安全市场；第二，殖民地乃是投资的可靠场所；第三殖民地又是独占所需要的有保证的原料来源地。因此，在世界已经分割完毕的帝国主义时代，列强对于半殖民地国家的争夺，亦就更加紧张了。列宁在这里是说得最明白的：

在一切经济关系和国际关系方面上，财政资本有异常伟大的势力，或者可以说是有决定一切的势力，能屈服政治上完全享受独立的国家，并且在实际上已经在屈服这些国家；……

> 但是，对于财政资本最“方便”的最有利的属国，显然是这种失去政治独立性的附属国家和民族。在这一点上，半殖民地的国家，便是标本式的“中间”形式。在世界已分割完结的财政资本时代，争夺这些半独立国的斗争，当然是特别的紧张。

中日战争是一八九四——九五年之事。这和资本主义变成帝国主义差不多同时。以中日战争的失败为契机，帝国主义列强本来是要把中国立即完全瓜分的，但由于中国人民的反抗和列强间本身难以协调的矛盾，故这个目的没有完全实现，而改为划分势力范围，作为自己独占的市场，独占的原料地，独占的投资地。特别是《马关条约》，它规定了外国得在中国开办工厂。于是，各帝国主义列强，各自大举从事于建筑铁路，开办厂矿，掠夺中国的资源与劳动力了。在这种情形之下，中国便变成为各帝国主义列强分别统治同时又共同统治的真正的半殖民地了。

现在，我们应该进一步去看看半殖民地半封建经济的特征。

二　半殖民地半封建经济的特征

半殖民地半封建的中国经济，可以将其特征概括如下：第一是帝国主义列强掌握住中国的金融财政的命脉；第二是产业与交通，呈现着喧宾夺主的形势；第三是中国的银行商业都在高度地发挥其买办的作用；第四，土地占有关系与农业经营是封建的，甚至新式工业亦渗透着前资本主义的气味。

我们将在后面各节，分别论证。

甲　列强握住金融财政命脉

国际金融资本，是支配着整个中国的，中国旧式的金融组织只有票号和钱庄；至于新式银行却由外国资本先创立。

自鸦片战争以来，英国首先在华取得特殊权利，而其对华贸易又居于当时各国对华贸易的第一位，所以它最早在中国境内设立银行。一八五七年英国麦加利银行首先设立分行于上海；接着，汇丰银行亦于一八六七年在上海设分行，该行原为各国合资经营，后归英商独办；到了一八九四——九五年中日战争之后，英国的有利银行，法国的东方汇理银行，德国的德华银行，日本的正金银行及俄国的华俄道胜银行，均先后在中国境内设立分行。义和团事变后，美国的花旗银行，比利时的华北银行，日本的台湾银行，亦相继在中国成立分行；其后外国银行在华设立者陆续增加，总数达六十余家。在这里，日本帝国主义的行数占得最多。它在华的银行总数竟达四十二家，超过了全体的一半。

外国银行的资金是中国的银行所不及的。华商银行实收资本在二千万元以上者（以抗战前而言），只有中央、中国、交通等几家，其余都在数百万元之间，依一九三三年的调查，一百四十九家华商银行的实收资本不过二万万六千七百万元，反之，汇丰银行（一千万英镑），麦加利银行、有利银行（各为三百万英镑）与大英银行（五百万镑）四行的总资本就达二千一百万英镑（约合当时华币四亿余元）；就以日本的正金、三井、三菱和住友四家银行的实收资本而言，亦达二亿九千五百余万元（一九三四年）。这种情形，真是相形见绌的。说到存款，当时全国华商银行存款，恐怕不会超过三十亿元，而花旗一行的存款，就达美金十三亿元。这不是小巫见大巫了吗？

列强在华银行挟着这么雄厚的资力，向全国各地作无孔不入的倾泻。单从它们的金融网之布置上，是可以看出这一点的。现在让我们把各国的在华银行阵容分别来说吧！

英国在华银行之行数有汇丰、麦加利、有利及大英四家，分行共有二十二个，计汇丰有十二个，麦加利有七个，有利二个。除此之外，尚有二个投资新狄卡，即中英公司、兴福公司。

日本帝国主义的在华银行，数量占第一位。从一九一二年以后，外资在华所设银行，以日商银行为最多。四十二家银行的分行有九十个。计正金有十三个，朝鲜有二十一个，台湾有七个，还有住友、正隆、华南、天津及济南等各家亦在各埠设立分行。从行数与分行的分布说来，日本帝国主义在华的金融触角，是比任何国家，来得更为深入，更为广泛的。

美国在中国的金融力量，主要是属于洛克费勒系统的资本。美国以贸易金融为中心，以文化事业慈善事业的投资为特色，但抗战以前的十余年间，美国资本在新兴事业部门——电力、航空、无线电等，有显著的进展。美国在华的金融机关，计有花旗、大通、通运、美丰、中华懋业、华东、友邦及信济八个银行，此外尚有统一及普益二个银公司，分行数二十余个。

外国银行资金雄厚，业务自然发达，这种情形已经给与华商银行以不少的打击，但事情还不仅如此，在华外国银行，还有一部分发行钞票，流通于中国市面的。这就更加强它们的力量了。在抗战以前的一个时期，汇丰的发行额为一千余万港元；正金为三百六十余万日元；朝鲜银行九千余万日元；台湾银行三千九百余万日元；麦加利为一百九十余万镑。这些银行所发的纸币其流通的领域，并不一致，花旗、华比、美丰等所发的，完全在境内流通；汇丰、正金、麦加利与有利等行所发的则大部分在中国境内流通；朝鲜、台湾、东方汇理等行所发的只有一部分在中国境内流通。其中信用最大流通最广的是汇丰银行的纸币，在港沪和广州握有压倒的势力；汇丰以外，要算麦加利及正金银行的钞币了。正金银行的银票与朝鲜银行的金票，在东三省是具有无上的势力的。外国银行之发行钞票是半殖民地的一个特征，是他们增厚资力以支配中国金融的重要办法之一。

除了发行纸币之外，外国银行的另一个可怕的活动，就是操纵中国的国际汇兑。外国银行操纵我国国际汇兑的主要原因，是我国对外贸易不断入超；其次是由于我们对外各种借款及赔款本息之收付完全要经外商银行。在这里，英日美三国在对华入口中占着重要的地位，故汇丰、正金和花旗三银行遂为操纵我国外汇的要角了，而因为经常经理借款，故汇丰操纵外汇方面，势力特别厉害。举一个例吧，从一九二一年至二五年，中国政府所还外债，因汇丰银行故意抬高外汇行市而多付一百八十九万两。因为外汇权操在外国银行手中，中国政府与人民，吃亏是不少的。

不仅如此，外国在华银行还有一个更大的任务，这就是对华进行间接投资（借款）。这种投资，不光是经济性，而且是政治性的。中国政府所借外债，多半由外国银行供给或承募，在形式上，这些借款，一部分属于铁路或电信借款，一部分是属于政治借款。不论那一种，大部都是有担保的。经济的借款以铁路电信等财产或其收入为担保；政治借款则以关税盐税及厘金等捐税为担保。提供借款的外国银行，就可因此取得这些担保品的监督权或管理权。中国财政的支配权，就是从此落在外人手中了。

在中日战争以前，从事对华投资的只有汇丰银行，东亚银行和怡和公司（均属英国），其中以汇丰投资最多。从一八七五至一八八六年，汇丰借款给中国政府共九次，利息从六厘至一分半，以八厘为最多。这都是政治借款。其中一八七七年的五百万两借款，指定以广州、上海、汉口的海关关税为担保。这一担保，汇丰银行的金融触手，便直接伸入财政的领域中去了。中日战争以后，各国在华纷纷设立银行。这些外国银行，用尽一切办法以争夺铁路和矿山的投资，自己不方便出面的，则暗中组织别种公司，或与别种公司联合组织投资机关，例如中央公司，就是由汇丰与怡和合共组成，而由前者指挥的。这个时期投资的对象一部分是铁路借款，一部分是政治借款。辛亥革命以后，政治借款占了优势，名义上有些叫做实业借款的，实际上亦被移作军费政费之用。一九一三年五国银行团（汇丰、正金、德华、东方汇理与华俄道胜五银行组成）借给袁世凯政府的二千五百万镑的善后大借款及日本银行团借给北京政府的各种借款，是较为著名的。此时以正金、朝鲜、台湾与日本兴业等日籍银行的借款最多，日本帝国主义对于当时中国政治财政的支配力，是增涨得使人吃惊的。

外国在华银行，以其雄厚的资力，压倒了华商银行的营业，垄断了中国的国际外汇权，控制了中国的铁路采矿等事业（后面将再说明），更以间接投资的方法，掌握住对中国财政的支配权。故在华外国银行的发展情形，大体可以代表帝国主义列强在华经济力量的发展的情形，亦可以代表列强在中国政治方面的势力发展的情形。各国在华银行家的意见，实际上就成为各国政治家的意见。他们是中国经济的太上皇；他们是中国政治的幕后操纵者。

乙　喧宾夺主的产业与交通

列强在华投资于事业与铁路，是从中日战争开始的。鸦片战争失败以后，我国的闭关自守的大门被打破了。但在这个时期，英法等国在经济方面所加诸我国的，是沿海贸易之发展，是租界之逐渐推广，是内河沿海的航行权之攫取，是洋行制度之深入内地并确立了输出入的独占的基础。总而言之，这个时期他们活动的主要方面，是在于推销商品和购买原料。到了中日战争失败以后，情况便不同了。日本帝国主义强迫满清政府签订的《马关条约》，其第六款第四项规定“日本臣民得在中国通商口岸城邑任便从事各项工艺制造，又得将各项机器任便装运进口，只交所定进口税”。又规定“日本臣民在中国制造一切货物，其于内地运送税内地税钞课杂派以及在中国内地沾及寄存栈房之益，即照日本臣民运入中国之货物，一律办理”。其他列强，在最惠国待遇的借口下，都向满清政府取得同等权利。这么一来，帝国主义在华投资，便在法律上取得根据了。

中日战争以后，列强一面强迫租借各处重要港湾，同时又争先夺取建筑铁路的权利，以作伸张自己势力的根据。帝国主义列强所以争夺铁路的权利原因，是借此可以输出本国过剩资本，取得额外利润（借款有巨大回扣，甚至以八五交款）；是借此可以用高价售出本国铁路材料；是借此可以把筑成的铁路握在自己手中；是借此可以在铁路沿线采矿及经营工商业；更进一步，可以把铁路所经过的区域划为势力范围，甚至可以在铁路附近行使警察权和行政权，利用铁路输送自己的军队。因此，列强在中日战争后，便纷纷压迫满清政府订立建筑铁路的契约。帝俄首先在一八九六年获得东清（即中东铁路）敷设权，接着俄法二国的傀儡比利时获得京汉铁路（即平汉铁路）的建筑权，美国获得粤汉铁路建筑权；德国获得胶济铁路及津浦铁路北段（天津至韩庄）建筑权；英国获得京奉铁路（即北宁铁路），津浦路南段（韩庄至浦口），沪宁铁路（即京沪路），沪杭铁路等建筑权；法国获得滇越铁路建筑权。从一八九五——一九〇五年间，外国直接投资所经营的铁路，有东清、胶济、滇越三线；由借款兴筑的铁路，有京汉、汴洛、正太、京奉、道清、沪宁、粤汉七线，两者总共五千哩。从一九〇五年至一九一一辛亥革命几年间，因受日俄战争之刺激，吾国发生收回路权运动，故列强直接投资建筑的铁路，已不复出现，粤汉、京汉等路建筑权，亦在这个时期赎回（但所付的赎价是很大的）。至于那些借款或合资经营的铁路，实权亦在外人手里，中国政府所有的，只是各路的债务而已。

与铁道敷设权相并而至的是采矿权。光绪二十四年（一八九八）中德《胶澳租界条约》第二端第四款规定："于所开各道铁路附近之处，相距三十里内，如胶北路在维县博山县等处，胶沂胶南路在沂州府莱芜县等处，允准德商开挖煤斤等项，及须办工程各事"。自此以后，帝国主义列强又在最惠国待遇之下，在华攫取采矿权了。例如英商福公司要求将山西盂县等地煤铁开采权让与该公司；一九〇二年中俄协约中规定"俄国中东铁路附近扎脊诺尔（黑龙江）地方及吉林某某数处之矿产，皆有采掘权"。此外尚有以诱骗与欺压的手段取得这种权利的。如中英之开滦煤矿，中德之井陉煤矿及临城煤矿，都是外国公司诱迫中国私人订立合同共营矿业，而后又迫满清政府承认的。在这个欺压交加的过程里，虽有一度什么收回矿权的运动，但，除了支付巨资收回福公司之山西采矿权，德国在山东之五矿，英国在皖南之铜官山与湖北炭山湾几个矿山之外，并未能削弱外国资本在煤铁方面的优势。几个较大的煤矿，如抚顺，开滦，萍乡，淄川，焦作，本溪湖都在日本强盗与英国资本的支配下。以地域言之，东北的煤矿，十分之九是在日本强盗掌握之中；而在中国本部，则以英国的势力为最大。以一九二五年全国煤产总额二千三百四十七万四千吨而言，外人经营及中外合办的煤矿产额便占了一千二百余万吨，超过总产量的一半了。铁矿方面，列强资本更占上风。中国每年新式开采矿砂，约二百余万吨，其中有百分之六〇左右在东北，完全是日本资本，中国本部九十万吨左右的产量中，百分之九〇左右是和日资有关而完全受其控制的。每年新式炼制的四十余万吨生铁，日资占百分之九五以上。著名的鞍山本溪湖为中日合办，而大冶繁昌当涂等矿，因为与日本有借款售砂合同，其控制权完全是在日本手里。

重工业的脆弱，是半殖民地经济的重要特点，故外国在华资本之在煤铁方面占着压倒的优势，是一件很明显的事情，但在轻工业方面，这种喧宾夺主的情形，依然是在展开着！《马关条约》使列强在华投资工业，获得法律根据。以纺织业而言，英国资本发动得最早。《马关条约》签订的那一年，英资怡和公司便在上海设立了；翌年又设立老公茂；同时德资开办瑞记公司；美国于一八九七年设立鸿源公司。至于日本帝国主义者，在一九〇二年购得二个华商纱厂，即大纯与三泰，前者易名为上海纺织株式会社第一厂，后者易名为株式会社第二厂。从此以后，日本与英国，便不断在中国开办纱厂了。第一次世界大战期间，华商纱厂乘机发展，但日本在华纱厂的势力则扩大得更为厉害。此时全国共有纱厂八十七家，其中华商五十三家；日商三十三家；英商一家，但五十三家华厂之纺锤共一百七十余万锭，平均每家三万三千余锭；而日商纺锤则有一百二十余万锭，平均每家三万七千余锭。复次，三十三家日商纱厂隶属于十七个公司，而五十三家华商纱厂则隶于四十个公司。华商纱厂最大的是中新，它辖有五厂；而日资的内外棉纱厂则辖有十三个厂。纺织之外，面粉，卷烟及缫丝等业，外国资本（特别是日本资本）都有雄厚的势力。这种情形，不是证明外国资本尤其是日资在轻工业中，把华商资本压倒了么？

列强资本虽为中国工业发展的触媒体，但同时，它又是中国民族工业发展的障碍。它们在重工业上占着绝对的优势，使中国民族资本没法在这方面插足存在，而其在这方面的投资，目的只在掠取资源，决非在华建立真正的重工业。例如采矿业只把铁砂与无烟煤运回去，炼成生铁或制成机器再来卖给中国，使中国的资源永被他们抢去，使中国的生产手段的生产，全被他们所垄断。在轻工业方面，则凭借其雄厚的资本，利用中国便宜的原料，剥削中国便宜的劳动力，使中国民族资本稍能站得住脚的轻工业，亦陷入困难之中。日本纱打击了中国纱，英国卷烟打击了中国卷烟，就是明证。

中国的新式工业虽在咸丰十一年（一八六一）就开始，同光之间，虽有军用工业和官督商办二个时期之演化，但民营工业之抬头，是一九〇五年以后之事。因为日俄战争的刺激，中国的绅商们便叫出收回权利的呼声来。商人资本亦跟着官僚资本，在产业方面，进行投资。故辛亥革命以前几年，工业原有一点进展；欧战期间，中国的民族工业又得着一个舒展的机会。据日人伊藤武雄的《现代支那社会研究》所载，欧战后在扬子江流域所勃兴的企业，有发电厂二十六所，运输业十八家，农业企业十八家，纱厂十六家，商业公司十五家，采矿业十二个，渔业公司三个，其他八个，资本总共一亿五千万元（转录自钱亦石著《近代中国经济史》）。但是，在帝国主义与封建势力的重压之下，中国民族资本的发展，是紧紧地被限制了的。欧战一结束，列强就回头东顾，于是，民族工业的黄金时代，便成为昙花一现了。停工，关门卖厂的悲剧，便一幕幕表演起来！

在帝国主义与封建势力打击之下，中国的民族工业是弱不禁风的，生产上的脆弱，就产生了中国民族资本的依赖性。这，表现在华资工厂的五金机器主要仰给于外国；表现在华资工厂所需要的某些原料，有的必须仰给于外国，有的虽不仰给于外国，但却被外资（特别是日资）所操纵；是表现在华资厂矿因借外债之故，受到外资的支配和归并；是表现在中国一些厂矿的出品，受到外资的控制。外资的压迫，使中国民族资本存在着一种反侵略的积极性，但是它的脆弱性和依赖性，常常把这积极性冲淡了，以至扭转了。所以，我们常常看见民族资本带着买办性的现象。

丙　充满着买办性的商业与银行

这里所说的中国商业，是把国外贸易与国内贸易统一起来说的。因为自鸦片战争以后，中国经济已成为世界经济的一个环节；中国的国内贸易不但不能保持孤立无依的状态，而且深刻地受到了国际贸易的支配。这种情形，用不着复杂的分析，只要放眼一看，便可了然。鸦片战争以后国内市场所流行的商品，从鸦片、呢绒、棉布，以至其他许多工业制造品，都是从国外输入的；而中国国内所生产的生丝，茶叶等农产品，都依靠国外市场之销纳。这就是说，中国穷乡僻壤的一点小小的买卖，是与中国的对外贸易息息相关的。因为这个道理，国内外贸易是应当统一起来研究的。

中国的商业，是充满着矛盾性的。国外贸易是这样；国内贸易亦是这样。现在，让我们先来看看国外贸易吧！

中国的对外贸易，自从一八六四年海关有报告以来，只有一八六四及一八七二至一八七六年输出超过输入，其余都是输入超过输出。在这六十九年中，出超不过二千七百万两（出超最多的一八七六年，亦只有一千万两），入超竟有六十六亿四千万两。自从一八七七年以来，入超竟成了中国对外贸易一贯的倾向，到了一九三一年，入超竟达五亿两以上。这种与年俱增的入超现象，证明中国的市场，是列强销纳商品的尾闾；证明中国经济对于帝国主义列强的依赖性。

如果从进出口的种类来分析，那就更可以看出中国商业的买办性的。在鸦片战争前后，外国输入中国的商品，大部分是鸦片及呢绒棉货，当时通商范围不大，入口的种类与数量亦不多，但自英法联军，特别是在中日战争之后，外国商品底输入，便急速地增加了，棉布、棉花、棉纱、毛织品、烟草、煤油、机器、五金、电气器材、汽车、木料、纸张、颜料，甚至于米、麦、面粉，应有尽有的输入进来。这种情形，不但表示帝国主义列强在制造品方面，掌握了中国市场，而且在原料品甚至食用品方面，亦掌握了中国的市场。以出口品来说，生丝、茶叶、桐油、豆类、毛类、矿砂等，便是比较主要的东西。这些东西，多是属于食料及原料的。把原料半制品供给资本帝国主义的国家，而由那些国家换取工业制造品，这是殖民地对宗主国的机能。从帝国主义方面来说，它的作用乃是输出资本，独占殖民地市场与原料之供给。这个时候的中国，虽然有一个政府，但，列强是政治上的太上皇，而中国的市场，则供给列强以原料，销纳列强的商品，容受列强的资本的输入。这种作用，不是半殖民地的作用么？从事于这种商业的人，就算他不是洋行里的买办，难道他的终局的作用，不是买办的作用么？

半殖民地的中国国际贸易，是完全失去保护的。《南京条约》把协定关税的束缚，加在中国的身上；值百抽五的正税与值百抽二.五的子口税，使中国海关对本国产业的保护力，完全限制住了。华盛顿会议虽有一点修改，那是可怜得很的。更使人哭笑不得的是：中国的进口税率与出口税率相同。列强以免除出口税和提高入口税来保护自己的产业；而操纵在外人手中的中国关税，则不但不能保护本国的产业，反而保护了外国商品之输入。这种情形，怎能不使中国的国际贸易的入超与年俱增呢？其次，帝国主义的工业品与殖民地或半殖民地的原料品间之交换，乃是一种不等价的交换。在大规模的机器生产之下，因为劳动生产率之提高，每个商品之价值是逐渐减少的；而以手工生产之下，生产效率当然不能与机器生产相比，故每个商品所包含的价值，是高于前者的。以价值不同的商品，而在一个划一的价格之下交换，则农业原料品的生产者是要吃亏的，中国与外国间的贸易，就是如此。中国的商品市价，是受帝国主义列强所操纵的；中国对外贸易——不管输出或输入——完全握在外商出进口洋行的手中。因之，出口的原料半制品的价格，是常常被压得很低的；入口的工业制造品，有时虽以倾销的姿态，倾入中国市场，但所谓廉价，所谓倾销，只有相对的意义而已，从世界物价跌落的水准来考察，它们输入中国的制造品，是不见低廉的。不等价的交换，使中国在国际贸易中，受到非常大的损失。

无论从出入口货物的价格总量来看也好，无论从出入口的商品种类来看也好，中国的商业毕竟是为“他人作嫁衣裳”的。在这里，洋行的买办，固然是帝国主义列强侵略中国的爪牙，就是那些纯粹经营国内贸易的商人，亦何尝不是在为帝国主义列强在小城市与乡村中推销商品，何尝不是为帝国主义列强搜集其所需要的农业原料品？就是以不经过边境海关的国内市场而言，列强在中日战争以后，在华的工业投资，与年俱增。它们在中国境内所制造的商品，是压倒中国的民族工业的。对于这种在华制造的外资商品之推销，其对于中国产业之打击，比较那种入口品，是来得更为严重的。故无论从那方面来说，在帝国主义列强的侵略之下，整个国内商业必然变成推销帝国主义列强的入口品或在华的制造品，和为其吸收原料品粮食品的经济机构。国内商业变成为买办商业的隶属。

不但国内商业充满了买办性，就是金融业亦充满了买办性。中国的金融业是顺着票号，钱庄与银行的演变而一天天成长起来的。站在背后的促动力，乃是资本帝国主义对中国经济侵略的要求。在鸦片战争以后，外国商品的进口，逐年增加，他们要从中国搜括的原料，亦年比一年的增加。为了将大量商品推销到中国内地和从内地吸收原料，就非有就地的金融机关替他们经营货款的汇划不可。外商银行虽然资金雄厚，但它们尚不能深入内地，故必须提拔中国的土著金融组织。最初受到帝国主义列强的青睐的，乃是江浙一带的钱庄。钱庄与外商银行关系是这样，当外货进口时，钱庄就代进口商开出“庄票”或“公单”，外商银行就凭这种单票向钱庄取款；土货出口时，出口商所领得的“洋款”和“公单”，亦必须经过钱庄而向外商银行兑换或付清。在这种情形之下，钱庄与外商银行的关系便密切起来了。洋商银行在剩余资金的放贷上，需要钱庄做他们的媒介，而钱庄在庄票的流通上，则需要洋商银行买办的抬举，在资金的通融上，亦需要洋商银行作后盾。钱庄所发出的“庄票”，特别是远期的庄票，必须洋商银行收受无阻，才能流通市面，否则进口洋行便不接受它们以清偿进口货款了。在外商银行这种提携之下，钱庄日益发挥其对外商之便利，同时，亦从外商不断地取得佣金或津贴，于是，便肥胖起来了。这就是钱庄代替了那种以经营国内汇兑为业务的票号的写照。至于中国的新式银行，亦是以便利外商银行及商行为前提的。中国的新式银行，是以一八九七年盛宣怀所创办的中国通商银行为嚆矢。接着，户部银行（后改名为大清银行，入民国改为中国银行），浙江兴业银行，交通银行与四明银行相继设立。国家银行的作用固为了财政，但初期华商银行的基本业务，是在资金上协助钱庄，使之完成上述的任务而从中取得一部分利益。因为银行是新型的金融组织，它的经营技术（如会计制度与业务组织等）比钱庄来得进步，它的经营方式比钱庄来得扩大，它的资金比钱庄来得雄厚，所以，到了后来，钱庄原来所占的外商银行代理人的地位，便被新式银行夺去了。钱庄就此变成为银行的隶属，钱庄必须通过银行，才能取得外商银行在资金上的通融。从钱庄到银行的演化，我们不必为前者悲，亦不必为后者喜。它们无论那一个，都是为帝国主义列强服务的。说得更干脆一点，银行的买办性是比钱庄来得更大的。因为银行的资金更雄厚，所以它的活动范围，亦远非钱庄所能比拟的了。例如华商银行还替外资和中国政府做媒介。凡中国政府向外借债，其本息偿清常由华商银行参预管理，同时，在华商银行资本的掩护之下，外资就能更顺利地进行其经济侵略工作。中华汇业银行之于日本，就是例子。从钱庄与银行的成长的契机与其主要的业务来说，中国的金融业，是充满着买办性的。在中国民族解放运动中，那些银行家之常常动摇以至于变成障碍物，是无足怪的！

丁　封建生产关系的残余

资本主义——尤其是进入帝国主义阶段的列强，虽然打破了中国的自然经济，迫令中国参加世界市场；虽然在中国引起了资本主义的生产方法，“按照它自己的样子创造一个世界”，但是，帝国主义列强为使中国只做一个原料生产者与劳动力供给者，因此，它们自然要保持，要巩固中国的前资本主义——即半封建关系的统治了。因此，中国的古老的生产方法，虽然不能保持它的“金瓯无缺”，可是，“半壁河山”却依然在它的统治之下。

最明显的是土地的占有关系。鸦片战争以后，中国的土地占有关系，与剥削关系，仍然和过去一样。中国可以耕种的土地，绝大部分握在地主手中。土地集中的情形，根据各方的统计（转录自陈翰笙先生的《现代中国的土地问题》，文载《中国土地问题和商业高利贷》一书中）：河北保定十村一五六五农家的调查，地主富农占农家总户数百分之一一点七，但耕地竟占百分之四一点三，反之，户数占百分之六十五点二的贫农雇农，其耕地只有百分之二五点九；浙江平湖的地主，人口只占百分之三，而耕地却占了百分之八十；江苏无锡二十村一〇三五农家中，地主富农以百分之一〇点三的人口，占有耕地百分之六五，而百分之六八点九的贫农雇农，只有耕地百分之一四点二；广东百分之七十四以上的贫苦农家，只占耕地百分之十九，而百分之六的地主富农，却占有耕地百分之六十六，如果以全国的概况而论，占农村人口百分之四的地主，竟拥有全国一半的土地；而占有全国农村人口百分之七十的贫农及雇农，则只占有百分之十七的耕地，此外，占户数百分之六的富农，耕地占百分之十八；占户数百分之二十的中农，耕地占百分十五（见《中国土地问题和商业高利贷》六五页）。土地集中的情形，从这些数字，是可以明白地看出的。不仅如此，黄土区（旱田）与华中华南的水田区不同。据中央农业实验所一九三四年调查，华北十省农家中，百分之八十九是自耕农和半自耕农，其余，百分之十九是佃农，华南十一省的佃农占百分之四二点五，而自耕农半自耕农只占百分之五七点五。这是说，肥沃的水田区，比不肥沃的黄土区更集中，由此可见，地主不单单在数量上握有大半的土地，而且在质量上，集中了最肥沃的土地。

地主虽然握有大量的肥沃的土地，但他们并不以大土地私有制为出发点而发展现代化的农业经营，却是分散地把土地出租给佃农。地主利用农民之没有土地，以苛刻的条件，迫使其耕种极端细小的土地。以政府的统计而论，安徽分租额，无论田的等级如何，都占产量百分之七〇以上，四川福建都在百分之六十以上；四川的谷租占全生产额的百分之六十以上，陕西亦在百分之五十五上下；钱租最高的如陕西，四川，福建，云南，吉林等省，竟有超过地价百分之二〇的。佃农身上所有的重负，不仅限于地租，尚且有押租及其他的额外苛求。各地的苛捐什税与地租，是一点一滴落在农民身上的。就以超过产额一半的地租而论，除了全部的剩余劳动（等于平均利润与超平均利润）之外，还有一部分必需劳动（即等于工资）在内。这与资本主义地租（仅仅提供超平均利润那一部分）相较，实在差得太远了。中国地主对于农民的剥削，完全是野蛮的前资本主义的超经济的剥削。

地主不但以其土地的占有去剥削农民，而且以其雄厚的资金，进行高利贷的盘剥。中国农村中的高利贷的形式，有典当与私人贷借两种。典当是豪绅地主所组织的高利贷机关。典当之表现为高利贷性，有二个方面，其一是利率普通在二分以上，甚至有至三四分的；二则典当的借贷不是一种等价关系，当价最高不到十分之三，低时甚至十分之一。私人借贷的情形更是繁什不堪。大致可分为银钱借贷，现物借贷和农产物的预卖三种。经营银钱借贷的通常以地主或商人为多，素无正业，专在农村以放债生利者，亦不乏人；至于放债之商家，多系贩售农产品者。这种借贷的名称很多，什么“加一钱”，什么“九出十三归”，什么“连根倒”“驴打滚”等等，真有令人目迷五色之感。现物借款的剥削程度，并不限于银钱借贷，如浙西一带之“放农米”，即地主或米行在冬间放米，次年春间至秋后还欠，或春间放米，秋收偿还本利。借米一石，还时有达一石三四斗者。广西苍梧一带之“时价行息”，亦属此类。至于农产物之预卖，则除高利贷外，还包含极大的商业利润的剥削，这一类最普遍的形式是放青苗，即农民因急需而预卖秋收的稻子，通常较原价至少减少百分之二三十，甚至有减少至一半的。四川的“老挨谷”，湖北的“青苗钱”，“押干租”，广东的“贩柑叶”等都属此类。在高度地租与苛捐什税的剥削之下，农民不能不乞灵于高利贷，然而这是饮鸩止渴的办法。高利贷贷到手，自己仅有的一点田地农业，甚至于妻女，亦就被这种高利贷的魔手攫取以去了。

由此可见，乡村中商人资本不但不会减弱地主对农民的剥削，而且与地主打成一片，共同维持中世纪封建式的剥削方法。高利贷对于农民的咀吸，其程度是不让于高度地租的剥削的。它是地主的土地占有的延长，而同时又促进了地主的土地占有与土地集中。

不但农村中的地主商人，以高利贷的绳子，加在农民的颈上，就是远在城市的钱庄和银行，亦未尝不参加这种剥削，加强这种剥削。钱庄和银行在农村中活动的姿态是很多的。有的“取商业经营的形式，如都市商家之往乡村收买丝茧，收买茶叶，预买农产物及屯集谷物等是；或取资本借贷姿态，如都市银行之往乡村贷放农产资本，承受米谷等农产物抵押的仓库等是；又或采取合作贷款的组织，利用一地方有经济兼有政治势力的绅士出面，组织合作社。”在收买农产，预买农产的行为中，钱庄或银行是在干着商业资本的勾当的；在农业仓库的业务中，银行是在干着典当高利贷的勾当的；在农贷与信用合作的经营中，银行是在干着资助地主豪绅以资金，增强其对于农民作高利剥削的勾当的。

银行的封建性，不但表现其在农村的侵蚀作用上，而且表现在其资金来源与存放款的性质上。中国大多数的银行，在其资金的构成上，军阀官僚地主的投资，占着相当大的数目。中国的军阀官僚地主为什么要把资金投到银行去，理由很简单，就是他们从人民身上括来的钱，除了收买土地外，剩余资金就没有出路。摇摇欲坠的产业，是邀不到他们的青睐的。因此，中国的军阀官僚，不但在银行基本金上是主权人，就是在存款方面，亦占重要地位。以银行资本的成长契机来说，更可看出它的封建性来，民国建元以来，历年都在为内战而发行公债。发行最多的年份，在北京政府时代为一九一八至一九二一年，共计四万万余元，南京国民政府时代为一九二八——一九三一年，共九万万余元。发行公债最多的年份，是内战最频繁的时期，亦是银行业最发达的时期。中国过去发行债券的情形是这样的，发出的新债，什九是以六七折计算，向银行抵借现款或变卖现款，同时，公债利息又定为六厘至八厘，银行实际所得利益，往往年息三四分，这种收入是投资在民族工业所万万不及的。故政府依靠银行，银行亦乐于为政府承受公债。银行资本与政府和军事当局结着这种密切的关系，很像封建社会中富商巨贾，放高利给封建领主所形成的关系。中国的银行资本的这种特性，与资本主义国家中银行之以供给产业资金为主要业务，相去是不可以道里计的。

谈到新式工业，虽然它是从欧美移植进来的，但是，处在这个半殖民地半封建社会中，荏弱的资本主义不但未能推翻封建关系，而且还承受了古旧的生产方法的残余的影响。从历史的发展上看来，中国近代企业的创始者是李鸿章，左宗棠及张之洞等大官僚，故中国的新式企业就与官僚结着不解缘。清末军用工业时期（一八六二——一八八一年），完全是大官僚的活动；官督商办时期（一八八二——一八九四年）亦完全是官僚们在活跃，在实际上，所谓“官督商办”，不外是“官督官办”而已。故中国新式工业的资本之原始积累，是不能离开官僚之括地皮，吸民膏的。当然，资本主义的出世史，用马克思的话来说：“在人类大事表上是用血与火的泼辣文字写成的”。明目张胆的劫掠，奴役，征讨及其他的种种麻醉欺骗，都是造成资本主义发生条件的途径，都是资本原始积累的形成。从这种情形来看，中国资本的原始积累，仍是用血与火的泼辣文字写成，与欧美是并无二致的，但是，“因官发财”这一条件，却不能不是中国资本原始积累的特点。就是因为这样，所以，新式厂矿之经营，都以做官的方法去措理。公司中人，率皆闲散官绅，对厂矿之管理，全是一窍不通，目的只在希图一己之分肥。从汉冶萍，象鼻山一直到龙烟铁矿等等，都在官僚主义的作风之下，一个个断丧了！“把工厂作衙门”是中国新式工业的封建性的又一特点。如果从厂矿的生产关系来说，中国资本主义之带着封建的血污，更是显然的。中国工厂的工资，除了计时工资，计件工资，奖金与分红，标准工资，股份制，血汗制与包工制之外，尚有什么学徒制，养成工与包身工等。学徒制本来是旧式手工业的遗物，但中国新式的工厂亦多采用。这是一种封建剥削，至于养成工与包身工，简直是把工人当作奴隶。养成工盛行于纱厂，包身工盛行于矿山中。养成工是变相的学徒制，但其剥削之深长，是学徒制所不可及的，因为学徒出师之后，就可脱离师父之支配；而养成工在“学出”以后，数年内不得掉厂，只能在原厂领取极低下的工资；包身工则在一定年限中，完全失去了身体的自由，不但劳动力卖给厂方，就是整个身体亦卖给厂方了。在本质上，包身工不仅是中世纪的剥削关系，而且是古代社会的剥削关系。每一日，每一年，不知有多少少女的血肉，不知有多少壮工的骨头，是被这种古旧的生产方法的残余所吞噬下去的！像这样纵然这些厂矿的表面，装潢得多么摩登，我们怎能说这种剥削方法，不是前资本主义的残余呢？

从土地占有关系，一直到商业资本与金融，都浸润着前资本主义的汗血；就是新式的民族工业，亦未能免于封建残余之影响，由此可见：中国的自然经济虽被打破，但封建的生产关系，基本上仍然是存在着的！

从国际帝国主义在华的喧宾夺主的经济力量，证明中国经济的半殖民地性；从前资本主义的生产方法之依然统治着农村甚至城市，证明中国经济的半封建性，在这里，所谓半殖民地之“半”，是指中国尚不至于如印度朝鲜，政治经济以至文化，完全被英国或日本所直接统治。中国尚有名义上的政府与微小的经济力量，帝国主义列强在中国虽操有政治经济上的特权与支配权，但尚未直接对中国行使统治。同时，所谓半封建经济之“半”，是指中国社会在这个阶段，包括了封建的生产关系和资本主义的生产关系，封建经济并不像鸦片战争以前一样，是中国社会的唯一的东西。

托洛茨基分子否认国际帝国主义的侵略，而认外国资本与本国资本同为一丘之貉。这是没有民族观念的买办思想。外国资本在中国是起着侵略作用的，它所投资的产业，只在便利于其本国之需要，和攫取高度利润以繁荣其本国（这当然与其本国的无产阶级无关）。它们在中国越发展则中国半殖民地化亦就越深，反之，民族工业如欲发展，必须争取中国的独立自由，这种差异，是很显然的。

其次，有人认中国的农村土地关系亦为半封建，其论据为：中国在这个时期的土地所有关系为资本主义式，而土地剥削关系为封建式。在逻辑上，持此说者，把占有关系与剥削关系对立起来，而在事实上，中国的土地虽可自由卖买，但亦不能与资本主义社会的情形等同起来，因为促使土地自由卖买的商业资本，并不就等于资本主义，它并不削弱封建势力，反而是封建势力的助手。“在中国乡村中，这种原始积累形式的商业资本，与封建统治及地主统治，有一种特别形式的结合，商业资本借用封建制度剥削农民压迫农民的中世纪的方法”。试问官僚，商人地主或富农，以高利贷的方法，以破坏价值法则的方法，从农民手中夺取土地，还能说这是资本主义的占有吗？事实很明白，中国这个时期的土地占有与剥削关系都是封建的。地主对农民的关系仍是中世纪封建式的关系。半封建经济的“半”，并没有意味封建的生产方法之减弱，而是指在这个时期的中国，有资本主义的生产，亦有封建方法的生产，封建经济已不像鸦片战争以前那样，作为唯一的生产方法而已。

宇宙间，一切事物是不断地在变化，在发展着。中国经济亦自不能例外，由于帝国主义内在的矛盾，由于帝国主义列强彼此间的矛盾，中国经济是没法静止地保持它这种半殖民地半封建性的。列强都竞争着扩大其在中国的特权，在这里日本帝国主义强盗，更是明目张胆的欲独占中国。可惜的是中国的统治阶级未能立刻抵抗这种侵略，反而在攘外必先安内的借口之下，镇压民众的爱国运动。就这样，中国就进一步坠入苦海之中了。

一九三一年九月十八日日本强盗在东北的进攻，硬割去中国的一片领土。自此以后，中国不仅是一个半殖民地半封建社会的国家，而且是一个殖民地半殖民地半封建社会的国家了。

三　从半殖民地半封建经济沦为殖民地半殖民地半封建经济

一九三一年的“九一八”事变，日本帝国主义用武力强占了东北四省。蕴藏着丰富的资源，出产着大豆和高粱的黑水白山的区域，便首先变成“明朗化”的日本帝国主义的殖民地了。这么一来，中国便从半殖民地半封建经济沦为殖民地的封建经济了。

其在中国本部，在这个时期（一九三一——一九三六）列强——特别是日本帝国主义对华的侵略，比较以前，又大大加紧了。无论在财政金融方面也好，无论在产业交通方面也好，喧宾夺主的现象是越来越可怕了，忧时之士，都在担心中国将从半殖民地降到殖民地。这种忧虑，并不是没有根据的。

这是中国经济更进一步没落的时期；这是中国人民在窒息中遭受着空前苦痛的时期！为了作有条不紊的理解，让我们先来看看东北的殖民地经济吧！

甲　东北的殖民地经济

东北之沦为日本帝国主义的殖民地，并不是偶然的，早在“九一八”事变以前，敌人就在这个地方，有根深蒂固的基础了。从产业一直到金融，都掌握在日本帝国主义的手中。

南满铁路株式会社是掌握东北经济命脉的一个历史颇长的垄断组织。这个会社成立于光绪三十一年（一九〇六年）。一九〇五年日本打败了帝俄，将帝俄从中国夺得的南满权利，一手夺去；又迫满清政府缔结中日满洲善后协定，宰割了南满的经济主权。这个南满铁路株式会社就是日本强盗乘机在此时设立的。它的任务是开发南满的经济，其性质恰与英国侵略印度的东印度公司相等。所以，这个株式会社，不仅仅经营日本从帝俄手中所夺得的中东铁路的南段（南满铁路就是中东路南段并加扩充而成的），而且亦是一个庞大的工业混合体，从事于木材业，钢铁业，化学工业，港湾，大豆甚至旅馆业的经营。它所操纵的企业，竟达七十二个单位之巨。东北的各个生产部门，都是经过它的子公司而紧紧地被“满铁”所操纵所支配的。

其在金融方面，朝鲜银行与正金银行握有无上的势力。因为东北的最大输出入港大连，完全在日寇支配之下，进出口货的货价之支付，遂与奉票无关。因之，朝鲜银行的“金票”（俗称老头票）和正金银行的“银票”，遂发生了绝大的作用。军阀官僚的存款，都用日金；工商业家的资本，亦多以“金票”“银票”为本位。据满洲年鉴，在民国二十年末，朝鲜银行金票底发行额，达一〇〇九〇九〇〇〇圆，其中流通在东北的达六千万圆以上，占十分之六，而在朝鲜境内的只占十分之四。同时，正金银行在大连所发行的银票，达一千四百三十七万余元，而民国二十一年五月间，中国银行的大洋券发行额只有六百余万元；交通银行亦只有一千二百余万元。由此亦可以看出日本帝国主义在东北的金融力量，是何等巨大的了。

除了以“朝鲜”与“正金”两个银行操纵东北的金融之外，除了以南满铁路株式会社支配东北的产业与交通之外，日本帝国主义还明目张胆的设立关东总督府统辖南满的军政民政。其后，又将该机关改为关东厅，专管民政，而将军事划归关东军司令部。在关东厅，关东军司令部，南满铁路株式会社及其所附设的文化机关等等的统治之下，你能说，日本强盗不把南满看为直属的领土吗？

“九一八”事变，日本帝国主义用着刺刀，把东北四省一百二十八万五千余平方公里的土地（占中国领土十分之一），从中国割开出去，成立了傀儡的“满洲国”。在这儿，三千五百万同胞变成正式的亡国奴了。从资源上说，中国失去了大豆产额的十分之七；森林三分之一；铁产三分之一；煤产三分之一；铁道线长的十分之四，和输出贸易的五分之二。中国的浩大损失，都是被日本强盗一口吞下去的。

日本帝国主义强占了东北之后，不但中国人的企业和土地，被它没收，就是列强在东北的投资，亦站不住脚了。“九一八”事变以后五年间，日本强盗在东北投资增加了十一万万二千余万元，而英美法苏诸国原有七万万日元的投资，只好陆续撤回。这不是说，日本强盗是实实在在独占了东北么？

东北四省在日寇的直接支配下，急激地完全殖民地化了。“满铁”与敌国国内的财阀，急激地在增加其对于东北的投资，如果把财政上的借款算在内，则一九三二年为九七一五一五〇〇日元；一九三三年为一六〇九五〇〇〇〇日元；一九三四年为二七一六二七二〇〇日元；一九三五年为二八六二一〇〇〇〇日元；一九三六年前九个月亦有二八四〇四〇〇〇日元之巨。如以“九一八”后所设的公司而言，只有日本法人与“满洲国法人”两种，在日本法人中，与满铁有关系之新公司计十个；其他一百六十一个；在“满洲国”法人中，与满铁有关系之新公司计十一个，其他六十六个，两项合共二百四十八个。但在这里，所谓“满洲国”法人，还不是日本鬼子在主持？

东北的经济大权，本来是以“南满铁路株式会社”为主宰的。“九一八”事变以后几年，这个会社，仍握有东北的经济中枢之权，但是到“七七”事变以后，这个炙手可热的“满铁王国”，竟被鲇川义介的“满洲重工业会社”所挤掉了。原来，关东军在中国抗战之时打算在东北建立极权主义的经济；而这种极权主义的统制，是与“满铁”的独占冲突的。“满铁”不但不愿意负担巨额的资金供关东军去实现其计划，而且恐怕它的百分之八的利润，捞不到手。冲突的结果，自然是“满铁”吃了亏，它被限制只经营铁路业，它的供销业务，成立一个日满贸易公司以代替之；其他如满洲化学工业会社，昭和制钢所及满洲电气会社等“满铁”附属机关，都被改组了。这些矿山和工厂，极大部分是转移给鲇川义介的满洲重工业会社的。

暴发户的鲇川与军部密切的勾结起来。他在日本国内的组织，是“日本产业株式会社”。“日产”于一九三七年冬全部迁入伪满，改为“满洲重工业会社”。这个“满洲重工业会社”不但吞并了“满铁”的一些工厂矿山，而且接受了“满铁”以外的重要产业（抚顺除外），就是一些新创的事业，如汽车飞机的制造厂，亦委鲇川经营。“满洲重工业会社”到了一九四〇年，实收资本共达七万万日元，子公司达十个，对其他会社的投资，亦不少，如本溪湖之煤铁公司就是一例。沉沦后的东北是被鲇川王国所统治着！过去华商经营的厂矿，则完全被敌人攫去了。以煤矿为例，东北较有希望的约有九个，即:“鹤冈”，“本溪湖”，“奶子山”，“裕东”，“八道壕”，“西安”，“金沟”，“北票”及“复州湾”诸矿。这九个矿的资本，不是商股，便是省股。“九一八”以后，完全归敌人所有了、殖民地化了的东北，是没有中国的民族资本立足的余地的。

其在农村，日本强盗在事实上已成为封建领主，极大部分的土地，都握在日寇手中。直接霸占东北土地的组织是“满洲拓殖会社”。这个会社，是由“满洲拓殖株式会社”改组而成的，三井，三菱与住友等财阀，皆是它的股东。从民国二十一年至二十六年，敌人对东北尝进行过六次移民，强占民田达到十八万垧。“满拓”成立之后，提出一个什么二十年计划，打算把东北的土地完全变为它的占有。敌寇移入东北的移民，多是退伍军人，他们是长于杀掠的，他们的惯技是武力强占农民的房屋与土地。除了移民之外，敌寇还利用“法律上”的霸占，浪人小谷节夫和熊谷贯所组织的“昭和农业会社”，就是例证；或者通过金融合作社，以抵押“地照”和贱买青苗的方法，去夺取农民剩下来的一点可怜的财产。

敌人在东北处处加强了对人民的剥削。金融合作社进行了高利盘剥，“粮食管制”则以“合法”的手段劫取农民的粮食，再加上土地的强占，绝无报酬的徭役和各色各样的苛捐什税，东北三千五百多万同胞不是在野蛮的掠夺之下过着奴隶的生活吗？很明白，敌寇之维持封建剥削，并不意味着地主的权益之得着保障，而是表示着日本强盗的封建剥削代替了原来东北的封建占有。大量土地之被没收，就是明证。在这里，佃农固然不能耕作，自耕农固然失了土地，难道地主的土地所有权，不会被摧毁被破坏吗？

“九一八”事变以前与“九一八”事变以后，日本帝国主义对于东北之统治，到底是不相同的。“九一八”以前，关东厅，关东军司令部和南满株式会社诚然把这一块土地，当作日本直属的领土，但是，在这个时期，中国人在东北还有一点立足的余地，中国人在辽宁建设了一些企业，建设了沈海、吉海、呼海和打通诸线，以与南满铁路竞争；同时，在英荷资本的帮助之下，建设了不冻港葫芦岛，以与大连湾对抗。“九一八”以后，这种情形，一笔勾销了。东北许多华商经营的厂矿，被日本人所没收了；农村中地主和农民的土地，大多数被日本人所强占了。日本强盗在东北，独占了工厂矿山，独占了工业原料，独占了交通运输，独占了市场甚至土地。这是他们在朝鲜台湾的再版。在这里，他所使用的，不是资本主义的剥削，而是一种超经济的前资本主义的剥削。他不仅维持东北的封建关系，而且加深了这种关系。

东北四省是水深火热的，它是一个殖民地经济与封建经济紧紧地打成一片的地方。

乙　本部的经济在衰落着

在这个时期，中国本部的半殖民地的经济，亦有一落千丈之势。这可从列强（特别是日本强盗）的侵略之加强，与民族产业的衰退两方面，得到证明。

先说日本强盗对中国本部的经济侵略吧！在丧权辱国的淞沪协定，《塘沽协定》，《何梅协定》和《华北经济协定》订立之后，日本强盗在华的力量，竟有雄飞突进之势。据一个简单的估计，一九三一年以来，日本帝国主义对华的新投资，在华北共达七万三千三百万元；华南共达三万九千三百万元（见一九三五年三月三十一日天津《益世报》）。这个数目似嫌太大了一点，但离事实是相去不太远的。以华北为例，仅仅棉纺一项，日本新投入的资本就达一万万日元之巨，其他如对龙烟，井陉，宁化等煤矿，对于龙烟铁矿，对于津石铁路塘沽筑港以及化学，卷烟，面粉，毛织等业，皆有新的投资；天津电业，海河运输，耀华玻璃及东亚通惠贸易公司，惠通航空公司等都陆续成立了。最值得注意的是，它们这种投资，完全是有计划有组织的。满铁津事务所（由“满铁”，关东军部及华北驻屯军部所主持的），“兴中公司”（由满铁出资经营的）和国际银分公司，就是他们对华北进行经济侵略的主体。日本强盗对华的侵略，是无所不用其极的。它们用经济包围的方法，困迫了开滦煤矿，启新水泥，久大制碱，华新纺织等企业；它们以关东军的武力，强占了柳江煤矿；它们以榆关日本特务机关的无耻行为，强迫长城煤矿加入东洋拓植会社的资本。如果把这种情形，来与当时敌寇策动华北五省独立，策动殷逆汝耕成立伪冀东政府的事实配合来看，则敌寇把华北看作东北第二的阴谋，是昭然若揭的。其在华中华南，日本虽因中国民众之抗日浪潮而受到相当限制，但在敌人的“中日经济提携”的阴谋之下，它的力量是超过“九一八”事变前的程度的。例如日本在华航业的发展，大有压倒太古怡和之势；它在中国本部对外贸易中，一天天的提高：它的在华纺织业占全中国纱绽数百分之四十五，且企图以上海福建为中心，猛烈地向华中华南伸张其势力。

日本强盗这样的猛进，必然引起其他列强的竞争。这里，首先必须提到英国。英国在最近三十余年，对华的投资，远落在日本之后。“九一八”以后，更是“望尘莫及”了。为了挽救颓势，它尝企图透过国联技术合作，透过建设银公司，联合美法比意对中国来一次巨额的投资，但这种企图被日本强盗的武力所吓住了。罗斯爵士尝两次到东京向日本谋取妥协，结果亦碰了一鼻子灰。于是，英国乃运用其优越的金融势力，援助中国新货币制度的实行，把中国货币拉进英镑集团，以便巩固它在中国金融市场的霸权；同时，透过退还庚款及建设银公司之方式，致力于长江以南的铁道事业，并资助广东的经济建设。美国方面，在“九一八”以后，对于扩展其在华势力，亦急起直追。这几年，美国在列强对华贸易中，已压倒日英而升居第一位。在航空事业和公路方面，它是竞争中的优胜者。中国航空公司是在美国的太平洋航空公司支配之下营业的。谈到公路，则离不开福特和通用汽车公司的出品。中国的新货币制度虽在开始时是与英镑联系，但优越的黄金王国毕竟是法力无边的，它使法币变成美金和英镑共有的儿子。除了英美之外，法西斯德国在“九一八”以后对华的资本活动，更在呈现其非常活跃的姿态。当时德帝国主义之又把它的魔手伸到远东，是以德日联盟为根据的。玉萍路的大借款，湘黔路的大借款，都是“德日合作联盟中所规定的”。航空方面，欧亚公司是由德国汉沙公司促动而成的。尽管表面上说这个公司的业务行政为华方主权，但事实上，谁能否认德国资本在这里发挥其主动的作用呢？“九一八”以后的局势，虽然不至于如甲午战后的严重，但，帝国主义列强的步步进迫，竟有水银泻地无孔不入之势。中国的半殖民地经济，是摇摇欲堕了！

中国国民经济的危机之深刻化，不但表现帝国主义列强之步步进迫，特别是日本强盗之独占了东北和阴谋宰割华北，而且表现在民族资本之守不住它的残破的堡垒。论重工业，中国的民族资本是没有基础的，可是到了这个时候，连这一点可怜的财产，亦保不住了。开平煤矿只有依附在英资开滦煤矿局之下，才得生存；五卅抵货运动所助长起来的中原公司，竟至于归并给英资福公司。在冶金工业中，民族资本的龙烟公司，汉冶萍公司，宏豫公司及和兴钢铁厂，都先后停止产铁了；有炼钢设备的汉冶萍公司、和兴厂等，亦都停止炼钢。轻工业是中国民族资本较有成就的部门，但到此时，亦弄到七零八落了。华北的裕元、北洋、华新等厂都拍卖给日本人；上海的申新五厂亦在廿三年拍卖给日本人。如以一九三三年和一九三六年比较，华商纱绽从百分之五七点一九减到五六点八五；线锭从百分之三三点二五，减至三二点五三；布机从百分之四八点二三减至四七点九五。纺织业的生产规模缩小还不说，中国的纱布交易所，竟至开拍日纱，为日本强盗的纺织业开拓市场。缫丝业更是不堪回首，一九三〇年的厂数为一〇七家，车数二五，三九五部，到一九三五年厂数减至三十三家，车数减至七千六百九十部。火柴业尝盛极一时，但到此日，经营此业的华商，竟至和日资合作，办理全国火柴联营社。这种情形，不仅呈现中国民族资本之更加衰落，而且呈现了中国民族资本之在发挥其买办性。它不但不能反抗列强资本之侵略，反而处处托庇列强，甘心牺牲自由独立发展的前途。这不是意味着中国的国民经济，从半殖民地再向下一步沉沦么？

经济的国难，不仅在民族工业中开展着，而且在农村经济中渗透着。半殖民地的中国农村是帝国主义列强销纳过剩商品和吸取原料的地方。不过，原料的输出是少过于洋货之输入的，而且又因为列强之独占农产市场，形成工业品与农业品的不等价之交换，故农村的资金不断地流入都市。上海是中国最大的条约口岸，上海中外银行的库存很能作为这一集中过程的指标。

一九三一——三三年上海中外银行存银统计

年　期	存银总数（元）	指数	华商所占 %	外商 %
1931	266，188，000	180.65	67.36	32.64
1933	547，446，000	371.53	49.65	50.35

三年间存银指数，竟增加了一倍，而外商银行所占存银，从百分之三二点六四，一跃而为百分之五〇点三五，更是列强对华咀吸的证明。在这种情形之下，许多农村，竟至欲找一块钱现银而不可得。这种城市膨胀农村偏枯的现象，并不是这个时期特有的，但在这个时期中，却呈现得特别明显。

到了一九三四年，情形又变了。因为美国厉行白银政策的关系，中国的存银不但被吸出去，一九三四年上海现银就突然减少三万万余元，从金融虚肿病一度而为金融贫血病。通货的紧缩迫使当局禁银出口，但是，英商银行特别是日商银行与浪人之武装偷运，使银禁失效，到了一九三五年十一月遂被迫放弃银本位，采用法币制度。中国币制开始依靠英国，后来依靠英美之共同维持而生存。从币制的性质来看，过去之银本位，虽可被握有白银的国家——如美国所支配所左右，但是法币制度却是明明白白地直接依靠英镑与美元的，其依赖性不是更明白了么？

从对外贸易来说，一九三五——三六年入超逐渐减少。这种现象常常被人引来证明中国经济之好转。事实上，人们忘记了这几年日本浪人武装走私的进口额没有登记在海关的统计中；忘记了这几年外商在华工厂发展极快，外厂的产品代替了一部分外货的进口；更忘记了这几年中国人民在天灾人祸之打击下，社会购买力大大衰落之事实！如果把这些因素都包括进去，所谓“好转”，不是自欺欺人之谈么？

世界的恐慌是一九二九年开始的，但中国的经济恐慌却延到一九三二年才爆发。在这里，经济恐慌与民族危机紧紧地打成一片，而民族危机又加深了经济危机的严重性。日本强盗的占领东北与挟持华北，使中国丧失了巨大的天然资源，使中国的民族资本丧失了大量的生产机关和市场，使中国的农村经济崩溃得更快更深刻，使中国的财政金融只有进一步依人门户才得苟延残喘。东北四省是成为日本强盗的殖民地了，中国本部，特别是华北五省（绥察冀晋鲁），亦是从半殖民地逐步坠入殖民地的深渊之中的！这种局势迫使许许多多不愿当亡国奴的人，起来反对内战，起来争取抗战之实现！

四　战时中国经济的变化

抗战八年，中国国民经济是急激地在变化着。这种变化的速度，是以前任何一个时期所莫及的。它在动荡，它在跳跃！在这里，日本帝国主义的铁蹄所践踏的地方，从东北伸入关内，得华北的平津，延伸到华中的上海武汉和华南的广州潮汕和海南岛。殖民地经济是暂时的扩大了。大后方在基本上，保持着半殖民地半封建经济的特质，但是，农村中的封建剥削却在加强，破坏价值法则的商业资本却在发挥其腐蚀的作用。总而言之，战前的殖民地半殖民地的封建经济的特质，在这个时期，是尽情地在发展着！

中国社会经济的发展，彻头彻尾是一个辩证的过程。它从半殖民地沉沦为殖民地的经济，但在这儿，否定这种殖民地半殖民地封建经济的新力量，又在产生着。这正如般尼西林的产生一样。这一杀菌防腐的良药，是在腐烂不堪的境地中生长起来的。从黑暗中产生光明，从废墟中建筑新屋，就是中国八年抗战的美果。这个美果，就是在陕甘宁边区和敌后解放区底新的民主主义的经济。

因此，欲了解抗战以来中国经济的变化，必须放眼去看看敌寇铁蹄下的殖民地经济；大后方半殖民地半封建经济和崭新的新民主主义的经济。

甲　沦陷区的殖民地经济

在抗战以前，敌寇直接统治的区域，是东北四省和殷逆汝耕的冀东防共政府，华北五省自然一天比一天有变成准东北的趋势，但在中国民众的反抗之下，敌寇尚不能完全为所欲为。“卢沟桥事变”以后，敌人更进一步的打进来。沿海沿江，华北华中华南各地区都被敌寇的铁骑所蹂躏了。跟着敌骑的行进，殖民地经济亦在扩展着！

不过，我们应当仔细地认清一件事实，就是：敌寇所占的主要是城市，绝大部分的农村则握在敌后军民的手中，从游击区发展为坚强的解放区。故关内的殖民地经济，主要是指在敌人铁蹄下的城市（特别是大城市），交通要道，与接近城市的一部分农村。这是与东北四省的情形不相同的。以一般的情形而言，东北经过敌人十余年的统治，不但城市，就是大部分的农村亦在它们的掌握中。故东北殖民地经济是一种“面”的扩展；而关内沦陷区的殖民地经济，则只是一种“点”的占据而已，

关内沦陷区殖民地经济有那些特点呢？

第一是敌人对于中国的民族资本之排斥与吞没。敌寇的掠夺方式，在北方大都称为“军管理”，在华中则称为委任经营，但二者的性质略有不同，“军管理”的主权操诸军队，后来虽委托日方会社代经营，但被委任的会社，只有经营权而已，而委任经营的工厂，则无论主权经营权，均直接操诸会社之手。中国民族产业以“军管理”之名义被攫去的几达一百厂（民国廿八年），山西、河南、河北、山东、安徽等省都有；被委任经营的工厂达一百六十余家。请看看一笔账吧！“上海”、“日华”、“东洋”、“和丰”与“钟渊”几个日本纺织厂，瓜分了沦陷区中六十多个华商纺织厂；“日清”、“日本”、“日东”等九个制粉会社，瓜分了沦陷区中五十多家面

粉厂；“三井”、“盘城”、“小野田”与“浅野”几个水泥会社，瓜分了沦陷区中的华商洋灰厂；“三井”、“三菱”、“住友”及“安田”瓜分了沦陷区中的铁道；“三菱”一口吞下了“鸿昌”、“合兴”、“老公茂”与“大中华”四个船厂，“日清航船会社”则抢夺了招商局的大半船只。这种洗劫，把海盗国家的性质，完全暴露出来了。

这是“杀鸡取蛋”的办法。这种办法是矛盾的。因为敌人的摧毁，厂屋机器破坏了，而工人与资本之逃避，又使这些“军管理”和“委任经营”的工厂不能维持下去扩大其生产，于是，又来了什么“中日合作”。在敌寇的两个国策会社——华北开发会社与华中振兴会社（一九三八）中打算吸收中国的汉奸资本。华中振兴会社所属企业，规定“中国”出资百分之五十一，日本出资百分之四十九；华北开发会社所属各企业，规定“中国”出资百分之四十五，日本出资百分之五十五；全国交通机关的资本，则以“中国”占百分之五十一，日本占百分之四十九为基础。不管百分之五十一亦好，不管百分之四十九亦好，这都是一种骗人的花样，实际，乃在于利用汉奸资本扩大其吸咀我国人力与物资的毒计吧。其所谓开发，不外是尽力使中国沦陷区供给敌人以原料而已。华北的煤、铁、盐、电力、棉花等是握在“开发会社”手中；华中的煤、铁、盐、丝等等，则握在“振兴会社”手中。金融方面，除了成立伪蒙疆银行，伪中国联合准备银行，伪华兴商业银行与伪中央储备银行等二十余家银行之外，还直接发行了日钞和军用票。用没有准备的废纸，来剥削中国人民的血汗财物。

第二，日本强盗不仅在各个大城市掠夺中国的民族产业和直接控制沦陷区的金融，而且在农村方面进行土地的抢夺。敌寇利用特务机关，保甲组织，或设立什么土地调查委员会，进行土地调查，强迫人民实行“土地陈报”和土地登记。不论地主或农民的土地，只要敌人觉得需要，就一律实行强占。强占的方式很多，有的是武装直接霸占，有的通过伪组织的名义没收，有的则以低价强迫收买。武力霸占，主要用之于建筑公路网、封锁沟、飞机场、兵营及仓库等。在冀晋察的被占领区中，敌人为防御敌后抗战部队之进击，在其据点周围与公路铁路两旁，建筑封锁沟与封锁墙。其所需的土地，都是用武力强占的。就是一些移民的地区，如在江南一带，亦使用武力强占的办法。同时，敌人为了在沦陷区中增植棉花、粮食、鸦片及其他农产品，设立了许多“农业会社”、“实业公司”及“农场”等等。这些会社或农场所需的农田，除霸占外，还有通过敌伪政权没收及贱价收买的办法。如“中日实业公司”经过伪政权，没收了由段祺瑞等出资经营的军粮城、茶淀两个大农场，共五万六千华亩（合三千五百町步）。该公司又设计侵占以下地区，冀东三十万町，津浦路沿沧州一带四万町，山东省黄河下游八十万町，其他山西河南等省一百万町，合计二百万町，即三千四百余万亩。北平伪中央农事试验场，曾在德县与唐山强占了不少民田；“钟渊纺织株式会社”以六百万元的资金，利用永定河水源，强占南苑一带民田，开辟一大规模的农场；“冀东种植公司”所组织的“东洋民生农场”，其所霸占的民田亦达几万亩。一九四〇年日伪合办的垦植公司成立后，又圈定冀省沿海新田一万顷，冀东沿海地区七万顷。在这里，地主与农民是同被驱逐的，能够残留下来的农民实质上乃是敌寇垦殖会社的农奴而已。在沦陷区中，敌人已变成最大的领主了：他们独占了这个区域里的土地。

第三，敌人不但排斥了中国的民族资本，而且排斥了英美列强在华的权益。英国在华投资是集中于铁路、航运、开矿与纺织的。“七七”事变后，英国投资的各个部门，无一不受敌人的摧残。以铁路来说，英国对华的铁路借款，计有北宁、京沪、沪杭甬、广九、淞沪、平汉、津浦、道清等路，这些铁路几乎完全给敌人占去了。矿业方面，英国的几个据点，如焦作、开滦等等，不是被日寇抢去，就是被它包围，被它支配。纺织方面，上海的英资纱厂，都挨过敌人之轰炸与逼挟，英商纱厂在比重上更加降低了。美国对华的投资，输出入贸易与文化事业最占重要，但是，贸易事业因日寇之封锁沿海与内河而衰落了，文化事业亦因日寇之轰炸而大受打击了。在太平洋战争爆发以前，敌寇在表面上总还承认英美在华权益之存在，特别在上海，英美在这个孤岛上的金融与工商业，仍是不可轻视的。可是，这种情形，到了一九四一年冬天，便起了变化了。

太平洋战争爆发之后，敌军即进入上海租界，捕拘同盟国侨民，平津等地亦是如此，从那一天（三十年十一月八日）起，沦陷区各城市的英美侨民，都成为日寇集中营中的俘虏了。对于英美在华投资的产业，银行与商号，则在“管理”的名义下，进行实质上的没收。到了三十一年三月二十八日，敌寇又宣布将英美等国在沪七十五家重要企业，置于日寇委任的日籍监督的管理之下营业。这个日本监督主管各该企业的财务；出品之销售与分配亦归其支配。英美在沦陷区的财产——企业、工厂、矿山与银行，都完全变成敌寇的财产了。

日本强盗在其占领区中，抢劫了中国的民族产业，吞没了地主和农民的土地，排斥了英美在华的一切权益，形成了暂时独占沦陷区的农业金融与运输的命脉的局面。不要说别的，单把它那两个国策会社来说就够了。华北开发会社（一九三八）的子公司达十七个单位，包括铁、煤、盐、棉花、电力及交通各部门；华中振兴会社（一九三九）的子公司达十三个单位，包括煤、铁、盐、丝、水产、水电、煤气与交通各部门。纵然这二个国营公司的营业，并不尽如寇意，但是敌人之握住（沦）陷区的工矿业的命脉，不断地咀吸我国的人力与物资，却是明明白白的事实。此外，贸易及金融方面的控制，农村土地方面的强占，都在说明沦陷区的城市与接近城市的农村，是完全被日本强盗所独占的。日本强盗在这个时期，是沦陷区中的大领主，是产业的独占者，是商业金融的唯一老板！

日本强盗把它占领的地区变成殖民地经济，同时，并未动摇封建剥削的内容。如在晋西沦陷区中，敌人规定："地主与佃户每年租票仍照二十五年以前办法清理，不得借端减少或扣除，或还地不耕等事情。"维持封建剥削，不是为中国地主打算，而是为日本强盗自己打算的。因为敌人在沦区中所造成的土地关系，是以土地集中在它手里为内容的。它把从中国地主及农民抢得的土地作为前提，自然是以封建剥削为有利了。当然，保持旧的剥削，可以骗诱一些不明大义的地主去当汉奸，可是，我们如果把敌人的强占土地的事实来对照一下，则敌人"保障地主利益"的欺骗性，便被戳穿了！但无论如何，日本强盗在沦陷区中的做法是"近代的殖民地开发方法"与封建剥削之结合。华北华中以至华南敌寇控制下的地区，是殖民地的封建经济。

乙　大后方的战时经济

大后方的经济性质，可从下面几个特点去理解：

第一，从外国资本在大后方的力量来说，日本强盗的特权，它从《马关条约》以来所加诸中国人民身上的桎梏，是被取消了的。那时敌人虽未被我们赶出国土，但它在敌后解放区与大后方的经济权益，是被否定了的。日本强盗在沦陷区中摧残英美的权益，而我们则在解放区与大后方否定了日本强盗的权益。这个情形，加深了日寇与英美的矛盾，形成了日寇失道寡助和我国得道多助的局面。

英美在大后方的经济力量，没有在东南沿海那么雄厚，故从全国范围说来，抗战以前与抗战以来的比较，英美在华的经济力量是减弱了的。特别在民国三十三年一月中英中美分别订立新约以后，使人更加有这种感觉。是的，中英中美的新约大体上已废弃了《辛丑条约》所规定在华的特权。一百年来，英美在华的驻兵权，租界及使馆区特权，军舰自由驶入权，领事裁判权，通商口岸特权，沿海贸易及内河航行权，外籍引水权与海关雇用客卿等（协定关税制，因一九二八年中美关税新约，在法律上，已承认中国关税之完全自主而稍稍改变了形貌），都从此勾销了。如果将九龙香港的问题置之不论，则中英中美的新约，的确把中国近百年来不平等条约，从政治上军事上解除了。可是，在经济方面，通商口岸设厂与采矿权等，尚未提到，而关于财产部分，某些有利于单方的权利，反而在法律上给与一些保障。若以大后方在抗战的时期而言，英美实际与中国的经济关系，是更密切了。

从财政方面来说，从二十六年八月至三十一年一月，中英借款十二次，总数一万一千八百五十万英镑，从二十七年十二月至三十一年一月，中美借款八次，总数七万四千七百八十万美金。这些借款，是政治性质的，是基于友谊之基础上进行的。这当然与以前的投资或借款的性质不同，但中国对英美，特别对美国的财政关系之更加密切，是很明白的事。

从金融方面来说，中国银行过去是以便利于外国的银行商行，作为主要业务的。僻处在大后方的银行，因为国际贸易之减弱，这种买办性的机能，当然亦跟着减弱了，但是从黄金与外汇的投机上，却在发挥其对外的依赖性。在抗战初期，重庆昆明与上海香港的银行，一齐在参加买卖外汇的活动。在那个时候，英美尚未卷入对日的战争。为了保存价值，交战国家的资金流入中立国家，那是很普通的现象，故当时中国金融界的外汇投机，尚不足以证明它的依赖性。到太平洋战争以后，英美已与日本立于敌对的地位，英美亦成为对日的交战国，但在此时，中国的金融界对于外汇的兴趣，不但不会减少，反而更加增长起来。特别是民国三十三年以后大后方金融界更热中于外汇与黄金的投机。美钞大票从三百元涨到三千余元。市面上流行着“商不如囤，囤不如金，金不如外汇”的谚语。人人争购美钞，相信美钞，而以金融界为尤甚！在这里，我们可以看出：美钞在后方之活跃，并不是美国直接在后方扩展其金融力量的结果，毋宁是中国金融界为它捧场，为它吹嘘的结果。故此时的大后方，美金是不能与日票在“九一八”以前在东北的情形，相提并论的！外汇投机，刻划了后方金融界对外的依赖性。

从物资方面来说，英美年来在大后方并没有扩展其商品的活动。太平洋战争以后，由于西南国际交通线之被切断，入口货物更见减少了。中印的航空运输是有限得很的。故战前那种外国商品压倒中国商品的现象，并不存在。至于产业投资，英美在后方虽有新的动作，尚不显著。但这种情形，只是事情的一方面；除此之外，还有另一方面的发展。这种发展，不但表现在美国的物资租借法案中，中国占了一定的地位，而且表现在美国直接帮助中国发展战时生产与运输。三十三年十二月所成立的生产局与三十四年一月所成立的运输管理局，都是明证。中美经济关系的更加密切，并不意味着美国对华之不利，而是意味着中国后方战时生产的依赖性。太平洋战争后国际交通路线被切断的时候，后方的冶炼业，机器业以至电气工业等，都因重要器材与原料之缺乏而大起恐慌。这就是后方产业的依赖性的反证。反之，当纳尔逊先生来华的时候，后方产业界便呈现着回春之象；到了生产局成立的时候，后方许多停顿的厂矿，又开始转动其机轮。后方产业的脆弱性及依赖性，都在这里呈现得丝毫无遗了。

为了打败共同敌人，盟国之援助是出于善意的；为了打败日本强盗，我们接受盟国的援助，亦是无可非议的。但在这里，我们应该问问自己：我们是否坚稳地站在自力更生的基础上；如果我们把依赖外援放在第一位，而“自力更生”只是作为宣传的口号，不但军火要依靠盟友，甚且连布匹亦要依靠朋友，则那种半殖民地经济的依赖性，不是明明白白地以另一种形式呈现出来么？

第二，大后方的经济，不但保存了半殖民地的依赖性，而且发挥了前资本主义的超经济的活动。银行钱庄在做商品投机，商家囤户亦在做商品投机。他们之购进货物，大多不是为了供应市场，而是为了囤积居奇。囤积居奇的目的是在于出卖时取得更多的货币。因此，假定他们在购入时并未压低卖者的价格，并未破坏价值法则，但在出卖时必定提高价格，必定破坏价值法则了。这种破坏价值法则的活动，是属于前资本主义的。这种前资本主义社会的商人资本的活动，促进了物价的突涨，破坏了市场的正常状态，给与产业资本以无限困难。因为商业资本吸住了大量的资金，故产业部门的资金活动，便感觉困惑了。据主管机关的调查，二十九年重庆二十六家银行钱庄的放款分配，商业一项在全部放款中，占百分之九十六强，工矿两业放款则不及百分之一〇；三十一年重庆所调查的六十家银钱业，若将“个人放款”与“其他放款”两项并入（这二项皆系商业放款性质），则商业放款所占百分比，应达百分之八十强，而工矿两业放款仅占百分之九点六而已。若以资金的分配来说，亦可看出工商两业的冷暖了。据有关机关之估计，三十一年重庆全体工商厂号，约五万家，商业占百分之七十三强，而工矿两业尚不及百分之二十六。商业吸住了大部分的资金，使工矿业在周转上发生“不灵”或“搁浅”的现象；同时，囤户操纵居奇的结果，使厂矿在购入原料时需要更多的资金。这种矛盾，扼死了许多资金薄弱的工业。为了适应环境，有不少厂家，亦在生产的招牌之下，进行囤积商品的工作。产业资本转向为商人资本，不是意味着产业资本之堕落么？不是意味着商人资本占着上风了么？抗战以前，中国的民族资本向着外国资本低头；抗战以来，后方的产业资本，则屈服于地主与商人资本了。

在后方兴波作浪的商人资本，并不是普通的商业资本，而是半商半官，亦官亦商的官僚资本。从现代经济的眼光看来，所谓官僚资本，在本质上，乃是带封建性的高级的买办资本。在海禁打开之后，经理借款与购料的新式官僚，由于扣回佣，由于与外国银行及洋行有来往，又由于经营国家资本的企业与银行，渐渐形成一种官僚资本。但在鸦片战争之前，括地皮而得的资本，亦是官僚资本的一个来源。故官僚资本是两重性的，它有买办性，亦有封建性（它包括了官僚，亦包括了军阀）。如果环境不同，则它所发挥的机能亦就各异。在抗战以前，官僚资本的买办性比较封建性发挥得更多；在抗战时期的后方，官僚资本的封建性却比较买办性发挥得更利害。官僚资本直接经营商业，表现为商人资本；它投资于银行钱庄（这是官僚资本的重要据点），透过行庄去经营商业，亦尽了商人资本的作用。官僚资本是商人资本的本体，而这种商人资本，如上面所说，是以破坏价值法则，窒息产业资本为任务的，故官僚资本在战时后方，大大地在发挥其封建性。虽然官僚资本有一部分投资于产业，但亦不能证明它的摩登，因为官僚资本所投资的厂矿，必定带来官僚主义的作风，他们以其政治地位，固可使他们的厂矿，在工贷方面，在资金运用方面，得到许多便利。可惜的是，他们仍把厂矿当衙门，活动一点的就利用厂矿的招牌大做生意。因此，官僚资本的比重占得越大的厂矿，则生产效率越会低退。与其说他们来投资产业，毋宁说在侵蚀产业。

具有买办性和封建性的官僚资本无论在规模方面，在势力方面，在战时的后方比较它在战前，还来得大些。它们在强化国家资本的政策下，进行其偷天换日的勾当；在发展战时经济的名义之下，进行其兴波作浪的行为；在极其摩登的外表之下，进行着前资本主义社会的破坏价值法则的工作。

第三，战时的大后方，不仅在城市中发扬前资本主义的超经济的活动，而且在农村中加深了封建性的超经济的剥削。后方各省本来的农业生产，地主对佃农本来的关系，乃是封建的生产关系。地租之高，不但吃去了平均利润的部分，而且吃去了相当于佃农工资的部分。主佃对分还算是“好的”，高的有至主七佃三，主八佃二者，有的地方，竟高到主九佃一的。除了高度地租之外，还有押金。国立社会教育学院所作璧山附郊四乡区农村调查，一百廿五户佃农及半自耕农，每一市亩田每年所附押金数，战前为二十七元，二十八年为六十五元六角，三十一年为三六三点七元，三十三年达二千三百六十余元，在巴县，有增至每亩一万元押金的。夏文华先生在其《如何保障佃农增进生产》一文中，就这样的说：

租额以四川为例，如水稻区域成都平原等县，平常年份须纳全年总收入十分之五点二，旱地区域仁寿南充等县须纳十分之四点五以上。押金，成都平原每亩须纳六十两（一两合一元四角）；旱地区域每亩须纳十两。目前水稻区域普遍增加：租额最高加四分之一，押金增加至一百两；旱地区域租额最高加三分之一，押金增至二十两。陕西与陇南，同四川相差不远，其余的分租区域，除押金与负押略增外，租额并没加高。西南东南各省，除云南外，如广西，浙江，江西等，皆盛行分租制，多数提高一成，如原来主三佃七者，今则改为主四佃六；主五佃五者，今则改为主六佃四；押金亦随之提高一成至五成。此外，尚有一苛酷的条件，即佃户须负担田赋的半数，广西天河河池等县，即有此例（见三十年十一月廿九日《大公报》）。

租额与押金之提高，是地主对佃农的剥削之加深。从这一点，我们可以看出大后方的封建的生产关系，不但不曾在抗战的时候有丝毫的削弱，反而在抗战的时候，加强了，加深了。

有人看见战时后方的地权，急速地在转移，以为这是资本流入农村，土地商品化的结果，因而忽视了农村的封建势力；有的人则以谷价高涨，认为农民的生活，可从此得到改善。这都是不合事实的。后方地权确实在转移；地主官僚与商人的游资，确实在追逐土地。由于谷价涨，引起地价涨；由于地价涨，引起投机家之追逐土地。故地价上涨与地权转移是结合在一起的。同时，因为投机家之争买，又使地价涨得更快，更厉害。地权移转之结果，换了新主人；新主人底下的管事亦换了，管事底下的"地钻子"亦换了。管事与"地钻子"一换，佃户如果不提供更高的租额与租金，则撤换退佃是必然的运命。跟着地权转移而来的土地使用权之变动，包含着无数佃户被迫离村；包含着无数自耕农半自耕农失去土地的悲剧。这种悲剧的次一幕，又是新地主对新佃户或老佃户的加深剥削，像这样，你能说这是封建势力的减轻吗？至于谷价之贵，分明只有利于有谷的地主。无谷或粮食不够的中农贫农，不但不会享受谷价高涨之利，反而在吃着米价上涨之亏。米价越贵，他们越要乞灵于地主商人的高利贷；国立社会教育学院三十三年调查厘山附郊四乡农户，除地主外，二六一家中负债者达一二九家，约为百分之五十，平均每户负债额为九千三百五十三元，中国国民经济研究所三十三年调查湖南会同黔防两县六乡农民负债户数为金竹乡百分之六六点五，堡子乡为百分之七三点六，雄溪乡百分之六二点八，沙湾乡百分之七五，秀州乡百分之八三点五，江市乡百分之四七。年来利率不断提高，大一分至大三分几乎成为通行的了。在这种情形之下，他们仅有的一点土地或牲口，就会被地主商人所囊括。这是农民生活的改善呢，还是农民生活之更加恶化？

总括上列各点，我们可以看出：后方财政金融与物资的依赖性，是半殖民地经济的特质之表现；而官僚资本之囤积居奇与地主对农民剥削的加深，则又说明封建的经济关系，不但没有在抗战时期减轻，反而在乘火打劫，在发挥其迫人的凶焰。谁能说大后方不是半殖民地半封建经济呢？

丙　新的经济嫩芽

在抗战期间，沦陷区是沦为日本强盗的殖民地经济了，而大后方则依然保持其半殖民地半封建的经济。但是，在这个兵荒马乱的时代，中国的国民经济，却在某一些地区，生长出新的因素来。这就是陕甘宁边区与敌后十余个解放区的新型的经济。因为陕甘宁边区虽遭受封锁与包围，但比较其他解放区，有着较为和平的局面，故它的经济建设的成绩，亦较其他解放区更为显著些。因而在这一节里，我们多以它作为根据。

陕甘宁边区和其他解放区一样，都有一个极端艰苦的时期，但造成这种艰苦的局面的原因，却不一致。敌后解放区的困难，主要是由于敌寇之烧光杀光及抢光的“三光”政策，而陕甘宁边区的困难，主要是由于顽固分子之封锁与袭击。一九四〇及一九四一两年，是困难最为厉害的时期。因为顽固分子的困迫，使这个地方“弄到几乎没有衣穿，没有油吃，没有纸，没有菜，战士没有鞋穿，工作人员在冬天没有被窝”。可是，顽固派的阴谋是失败了的。在正确的政策之下，经过几年的奋斗，陕甘宁边区终于一步一步走上自给的大道了。不但粮食与日用品能逐渐自给，而且做到人民家家户户和机关部队学校都丰衣足食。在战争中改善民生，特别是在古旧的中国底地瘠民贫的地区中，经过几年的抗战，不但不会像其他地区那样，反而把人民的生活改善了。这不能不说是奇迹。要弄明白这个奇迹，就必须认识新民主主义的经济。

在新经济的地区，日本帝国主义的势力，是彻底被粉碎了的。与后方接壤的陕甘宁边区固然如此，就是在敌寇铁蹄之下解放出来的解放区，亦是如此。在这些地区中，日本强盗否定了英美列强的权益；而敌后抗日民主政权，则否定了日本强盗在占领期间的独占暴行。这个否定的否定，在实际上，打断了近百年的半殖民地枷锁和十余年的殖民地枷锁。

殖民地或半殖民地经济的基本特点，是帝国主义国家对这些地方独占了市场、原料与投资，握住了财政经济的命脉，因而形成了这些地方对“宗主国”的依赖性。故经济上的依赖性，亦为殖民地或半殖民地的特点。这种特点，我们可以在抗战时期的大后方发现着，但在陕甘宁边区和敌后解放区，则并不存在。这些地区的当局和人民，绝对没有把解决经济问题的希望，寄托在盟友身上。为了回答日寇汉奸的“扫荡”与封锁，他们自己动手，组织起来，办了许多的自给工业，进行了大规模的生产运动。因为没有衣服穿，他们种植棉花，建立纺织厂并推行广大的妇纺运动；因为过去粮食不够，他们就努力开荒，改良农产，现在已做到“耕三余一”；没有纸，他们就造纸；没有铁，他们就建立冶炼业。这种百分之百的“自力更生”的精神，洗净了近百年来中国经济的依赖性。

当然，这种新型的经济，并不是排外的，闭关自守的。它并不放松外援之争取。不过，这里的争取外援是以自力更生为大前提的。以自己的努力，来壮大自己，来提高自己，来与盟友合作。这与那种不思振作而躺在盟友之前以求得外援的政策，是完全两样的。至于外资之利用，当然欢迎，但以不损害中国人民的利益为条件。

殖民地半殖民地束缚之否定，是新民主主义经济的第一个特点，其次便是封建剥削关系的削弱。削弱封建关系的办法是广泛而深入的执行减租减息的政策。陕甘宁边区有一半地区，是经过土地革命的。经过土地革命的地区，封建剥削关系完全被粉碎了。未经土地革命的地区经过减租减息之后，封建束缚亦就减弱了。敌后解放区年来亦厉行减租减息的政策。减租减息之后，农民的生产能力与热望大大提高，土地关系与阶级关系亦大大起了变化。这就是说，土地关系由集中走向分散；农村阶级关系方面，则是大多数的雇农贫农升为贫农中农，大多数的贫农中农，上升为中农富农。以晋冀察边区为例，这几年，当出土地的，多为地主富农，卖出土地的，亦多属地主与富农（特别是地主），而当入或买入土地的，多为中农贫农，甚至雇农和工人，亦有买入土地的。战前这些地区土地飞速地向地主富农集中的情况，已是结束了，相反的，土地是从地主及部分的富农手中逐渐向着广大缺乏土地的贫农中农及新起的富农分散。土地关系的变化，必定引起农村阶级关系的变化（在敌后解放区，尚有敌人对我经济作严重破坏的因素）。以陕甘宁边区的延安柳林区四乡为例，该乡的情形是这样：

民国廿五年			民国三十一年	
雇农	14户	13.0%	1户	0.8%
贫农	48户	44.4%	15户	12.0%
中农	44户	40.7%	94户	75.2%
富农	2户	1.9%	25户	1.2%
合计	108户	100%	125户	100%

表中二十五年的农户，最低的一层已上升为中农，三十一年的雇农贫农，绝大多数是外来的移民难民。贫农雇农迅速下降，中农经济大量而畅快的发展，乃是边区农村中最显著的情形。敌后解放区亦是如此，兹以晋冀察边区北岳区的巩固区三十五个村庄之调查为例：地主在廿六年占总户数百分之二点四二，到三十一年下降为百分之一点九一；土地占有从百分之一六点四三降至三十一年的百分之一〇点一七；骡马从百分之一八点九降至百分之六点六四，其他牲口亦同样减少，中农呢，他们在农村户口中所占的比重，从二十六年的百分之三五点四二上升至三十一年的百分之四四点三一，土地占有从百分之四一点六九，上升至百分之四九点一四：畜

力方面，骡马占百分之五二点一六，牛力百分之七九点一四，驴力百分之六一点八八。中农经济是目前农村经济中发展得最迅速最膨胀的力量。至于雇农贫农，户数从二十七年的百分之四七点五三（其中雇农占百分之七点〇六，贫农百分之四〇点四七），减至三十一年之百分之四〇点九五（其中雇农减至百分之三点二三，贫农减至百分之三七点七二），但土地占有则从百分之一九点一增至百分之二〇点一二。

地主经济在逐渐削弱，中农经济在膨胀发展，而雇农贫农则在迅速上升。富农经济呢？在初期富农经济有着某些下降，但没有多久，又开始上升了。富农经济在解放区之所以一度下降，除了在战争环境中，敌人的掠夺破坏之外，就是因为中国的富农往往和地主一样，出租一部分土地，且兼营高利贷，进行残酷的封建剥削。在执行减租减息政策时，对富农的租息仍须照减，故富农在开始时的下降是不可免的。但由于解放区的封建剥削之被削弱和半殖民地性的完全被根绝，奠定了发展资本主义的条件，所以，富农经济便逐步发展了。但是，在这里发展起来的富农，有不少是由中农上升而来的。

如果进入和平环境，则富农经济，将有更大的发展。这一点，从陕甘宁边区，更可得到证明。吴满有的方向，就是新的富农路线。陕甘宁边区的农村经济，是以中农占优势，但这种中农，并不如其他地方一样，沦为贫农，反而是大量地向着富农的方向发展。如延安的申长林，关中的李学义，安塞的杨朝臣等，都是沿着吴满有的道路，从中农，贫农甚至雇农发展起来的。这些新的富农，努力增加生产，不仅改善自己全家的生活，而且帮助别人，改善全村全乡的生活，因此，吴满有式的富农经济，乃是新民主主义经济的一个组成部分；而在新民主主义的环境中，这一成分又不断地在发展着。

在产业方面，这些地域原来都很落后。以陕甘宁边区为例，民间仅有一些小手工作坊，盐池和炭窑：农村家庭纺织业亦因为外来纱布的涌入而销声匿迹。二十七年政府开始注意自给工业的建设；二十八年工业品之输入，受到限制，为了克服这种困难，“自己动手”“自力更生”的口号，便为这儿上下所执行了。化学工业和采矿业是在这个时候建立的。二十九年当局提出“半自给”政策与“集中领导，分散经营”的方针，动员了党、政、军、民、学，为边区主要工业必须品的自给而奋斗。三十年当局又提出“由半自给渡到全自给”的政策，工业发展遂呈突飞猛进之势，给下一年的巩固工作，打下了基础。三十一年建设厅确定了“巩固现有公营工厂，发展农村手工业”的方针，开始清除当时存在的盲目性的无政府状态，而增加自觉性，实行统一的有计划的经营。三十二年这儿的公营工业和农村民间手工业，都有大的进展。计公营纺织厂有二十三家，生产量比二十七年增加百分之二七四点六二，快要达到自给的程度；公营造纸厂十一处，生产量比二十九年增加百分之五五二点二，已达到完全自给；化学工业方面，肥皂厂有二个，陶瓷厂三个，石油厂一个，火柴厂一个，制药厂一个，制革厂二个，被服工厂十二个，炼铁厂二个，工具厂八个，印刷厂四个，木工厂七个，煤炭业、盐业、榨油与其他一些小作坊，尚未计算在内。公营工业之外，尚有私营工厂，生产合作社，家庭手工业和小型手工作坊。以织布业为例，公营织布厂固有极大的发展，织布合作社，私营工厂及家庭手工业亦随着跃进。三十二年那一年，织布合作社有三十七个，织机一七九架，生产大布六千匹；家庭及私营工厂织机一八四六七架，生产大布六五三三四匹。合作工业在年产量中，增加了十五倍；家庭织布业在总产量中，占了百分之五十六以上。由此可见，新民主主义下的公营工业，并没有排挤私人工业，并没有妨害中小生产，恰恰相反，新民主主义的公营工业是与私人工业共同发展的。

新民主主义的工业政策，是以扶助中小生产作为出发点的。它的任务是把小规模的个人生产组织起来，在技术上，在原料上，在资金上，在税制上，在运输销售上，处处给与便利，使它们逐渐壮大起来。由小到大，共同发展，就是它的特色。这种情形，与资本主义（旧民主主义的）社会的资本集中是完全两样的。所谓资本集中，就是大鱼吃小鱼，就是大资本吞并其他弱小的竞争者。资本集中乃是独占资本的前奏。反之，新民主主义的经济，则是在扶助中小生产的前提之下，使它们的规模逐步的扩大起来。

新民主主义的工业经济，除了扶助中小生产使其共同发展之外，还有一个为旧民主主义生产所无的二个特点：一个是提高工人的自觉性；一个是倡导合作运动。

资本主义积累的一般法则，是以劳动者之赤贫为内容的。在生产过程中，工人不过是资本家的活机器而已，劳动被人看作低贱的事情，因此，工人在厂中工作，自然谈不到自觉性。反之，在新民主主义下的工厂，工人的生活不断改善了，劳动是被尊重的，因之，工人的自觉性提高了。陕甘宁边区在三十一年间开始酝酿，而在三十二年普及于边区所有的工场和作坊的赵占魁运动，就是明证。赵占魁运动是一种新的劳动态度对待革命工厂的群众自觉性的运动。这一运动使工人自觉地起来节省原料，爱护工具，遵守劳动纪律，提高劳动生产率。这几年，边区工业之突进，这是一个重要的因素。关于合作社运动，它并不破坏个体经济的私有财产基础，但它使个体劳动转移为集体劳动，因而大大地提高了劳动生产率。在陕甘宁边区，从农业到工业，从运输到教育文化，合作社都发挥了巨大的功能。中国的合作运动已发生了十余年，但要在人民中植根，要发生实际影响，应当从这里算起。

新的经济嫩芽，已经在中国的土壤中生长出来了！

现在的中国，有殖民地的经济；有半殖民地半封建的经济；还有新民主主义的经济。以沦陷区为代表的殖民地经济，在日本投降以后，树倒猢狲散，当然又回到祖国的怀抱来，但人们如果盲目地走着依赖外援的路线，则殖民地化（纵然不采用武力强迫的方式）的危险仍是存在的！

第二章　中国的经济结构

一　六种经济关系

在上一章，我们是从历史的发展去认识现代的中国经济的，现在，我们必须从横断面去考察当前的中国经济，看看它包含几种生产关系，看看这些生产关系的特点是什么。

依据上一章的叙述，我们可以看出中国现在包含着下列各种经济关系：

第一是帝国主义列强在华的经济力量。这就是殖民地与半殖民地经济的根源；

第二是属于中国人的“私经济的资本主义”；

第三是地主的封建经济；

第四是小有产者的经济，即小规模的商品生产；

第五是合作经济，这是以小有产者的经济为主要前提的，是以私有财产为基础的集体经济；

第六是公营经济。

这六种经济关系，交织成今天的整个中国经济。在上一章的叙述中，我们对于某些经济关系，尝作概括的描写，但尚有一大部分没有提到，或虽提到而嫌太简略，因此在这一章中，我们对于每一种经济关系之写法，并不平均，曾经提到的当然少说一点，未曾提到的当然多说一点。

二　列强在华的势力

日本帝国主义强盗在沦陷区的独占，形成今日中国境内一部分地域的殖民地化；而其他列强在华经济力量之伸张，则使后方保持了半殖民地的特质。这些事情，我们在前一章已经说过了，现在可不必重复。

帝国主义者在中国破坏自然经济的时候，虽然推动了商品生产的发展，虽然开辟了一些交通运输线，虽然在一定程度之内，刺激土著资本在实业方面之投资，但是，这种推动的作用，终抵不上它的阻碍中国民族资本发展的作用。而且，它的那种推动的作用，在表面上，虽然帮助了中国商品生产之发展，实际上，亦是完全为了它们自己的。抗战以前，陕西、河北、山东、山西一带的棉花，东三省的大豆，山东、河南、安徽等省的烟草，江浙两省的蚕丝，以及安徽江西的茶叶，那一件不是为帝国主义的需要而发展起来的呢？轮船、铁路、汽车与航空的发达，难道不是为了便于帝国主义列强之推销商品和搜集农村出产的原料和粮食么？至于工矿方面的投资，只有使中国成为帝国主义经济上的附庸；只有把民族工业压在它们的脚下而没法抬头；只有使那些在外资厂矿中工作的中国工人，受着更深刻的剥削与压迫而已。更进一步看来，帝国主义列强对于中国的侵略，并不仅仅是经济的，而且是政治和军事的。政治的支配与军事的占领，是为了经济的掠夺，因此，这里的问题，不仅是一个单纯的经济问题，乃是一个民族解放的问题。

帝国主义列强对中国的侵略，孕含着种种矛盾：一方面，帝国主义者把中国经济变成它们的附庸；另一方面，中国工业的发展却又不可避免地要和帝国主义者的利益冲突。一方面，帝国主义者在中国无情的掠夺中国农民和无产者；另一方面，却进一步地把无产者集中起来，使他们和农民及一切人民联合起来为解放而斗争。日本强盗的独占中国的军事行动，又引起它和列强的对立，深刻化了中日间的民族矛盾，使工农民众能团结更多的人，使一些不愿当亡国奴的资产阶级及地主，亦卷入抗日的队伍中来。

日本帝国主义投降了，五十年来，它加在中国人民身上的桎梏是被打破了！其他列强，虽然多数已订新约，但片面权利仍有存留者，在民族解放运动的进展中，对于这些片面权利，亦将以各种方式，取得合理解决。中华民族的解放运动，一定要成功，而且非成功不可。殖民地和半殖民地的经济状态，我们必定把它们送进历史博物馆去！

三　各种私人资本

小引

照资本的活动形态而言，中国的私人资本，可分为银行资本，工业资本，商业资本与土地资本几个范畴，但是，这种分类并不能呈现出中国资本主义的特点，在先进的资本主义国家，亦何尝不可作这样划分？工业资本，商业资本与银行资本等，只能表呈社会总资本运动中某一项资本所尽的机能，它们在产生及分割剩余价值的过程中所尽的作用罢了，这是各个资本主义国家的共通的特点。以这种眼光来看中国的资本主义是十分不够的，它只能给与读者以一般的概念。

我认为中国私人资本的划分，可以概括为买办资本，官僚资本，民族资本与华侨资本四类。兹将它们的特征，述之于下：

甲　买办资本

要研究买办资本，就不能不提到买办制度，中国的买办制度或许是一七〇二年满清政府正式批准之特许商人（其初此种特许商人仅只一名，嗣后名额渐次增加；一七三〇年达十三名，有“公行”之组织）之变体，但事实上，外人在华早已使用买办。自《南京条约》承认外人自由贸易，废止特许商人之后，外人利用买办之范围亦随之而扩张。因为地理的关系，买办制度之发达，以南方为早且盛，故买办职务，殆为广东人所独占，其后，各处商埠，相继开辟，宁波人之从事此业者，亦日益众，几有压倒广东人之势。

买办的任务是在为外商推广商业，在交通范围内，他对外国商行负有一定保证的义务，同时有向外商领取一定薪资与一定定率手续费的权利。帝国主义列强在中国的商务，都是以买办为中间人而进行的，故买办即是半殖民地中国的商业的副产物。帝国主义列强在华经济力量越扩大，买办阶层的人数及其势力，亦就越加扩大。但是，帝国主义列强对于买办的需要是不一样的。在初期，外商对于买办的要求，只要它对于某一项商业，某一个商社，负担向导与保证的责任；到后来帝国主义列强对于中国并不限于商业活动，它们除了推销商品和收买原料以外，还要从事银行，矿山，及其他各种实业之投资，还要进行对于铁道，邮政，电报及其他种种之政治借款，因此，他们需要各种各样的买办，有商业买办，有工业矿业的买办，有金融的买办，甚且有财政上的买办。这些买办在形式上虽然不同，但它们的共同的总任务，乃在于为外国资本推广其在中国政治经济上的势力，乃在于牺牲同胞的血肉以壮大帝国主义者的利益。如以商业买办而言，他们是以帮助外国资本对中国人民作不等价的交换为任务的。他们所得的利润，并不是一般的商业利润，而是包含中国农民的一部分血汗在里边的。其他，如外资的工厂矿山与交通机关的买办，一面在帮助外国资本对中国咀吸物资，对中国无产者进行剩余价值的剥削，同时，又在为外国资本卖力，打击中国的手工业者和民族资本。因此他们所获得的薪金或手续费，是以出卖中国物资，是以榨取中国无产者的血汗，是以促成大量手工业者和一部分民族产业的衰亡为代价的！

在“原型”的买办之外，还有买办性的中国的银行和商业。如以影响及作用而言，中国的银行，其所尽的买办作用，较诸外国在华经营的商行，银行及工厂矿山中所直接雇用的买办，不但不会呈现逊色，甚且有“凌驾而上之”的姿态。因为中国的银行，除了在金融活动上，为帝国主义列强的经济侵略服务之外，更在其附属经营的商业中，为外国商品及在华的外国工厂所出产的商品之推销而努力，故中国的银行所获的“利息”，并不是普通的利息，并不是普通的所谓“资本的价格”，而是包含着买办性的手续费在里边的。

乙　官僚资本

从一方面看来，官僚资本就是高级的买办资本。橘朴在其所著的《支那社会研究》中，尝这样写着：

> 帝国主义要在中国投资（铁道、邮政、电报及其他种种政治借款）或者为了要利用中国的封建政府，以榨取其人民，又不得不制造出别种中间人，由是发生所谓“官僚买办阶级”或“官僚资产阶级”，我们不妨把这官僚资产阶级称之为金融资产阶级，因为中国的银行，大部分在他们手中。（转引自王渔村先生的《中国经济读本》第一一〇——一一一页）

这种看法，大体是不错的，官僚资本本质上是买办资本，而官僚资本又以银行为其重镇，故官僚资本，包括了买办资本和银行资本，但我们绝不能抹杀官僚资本的封建性。有许多官僚政客是以括地皮起家的，当他们还未与帝国主义列强勾结的时候，他们何尝不可一面做官，一面作多财善贾的什么企业家！同时，纵然他是为外国资本作中间人物的新式官僚，亦并没有弃掉这一特质。这些官僚资本，有很多是投资于土地，向农民作封建的剥削，有很多以商人资本的形态，在工商业中作前资本主义的活动。故官僚资本亦即是大地主大银行家大买办的资本，它具有二重性——买办性与封建性，在抗战以前，它多发挥其买办性；在抗战时期的后方，在囤积居奇的活动中，它比较地多发挥其封建性。

中国的独占资本，只有见之于官僚资本，换言之，中国的官僚资本，就是中国独占资本的具体形态。所谓独占资本，就是独占的银行资本与独占的产业资本的结合，中国有没有独占的银行资本呢？中国有没有独占的产业资本呢？中国的银行资本与产业资本是不是结合起来了呢？这是我们在这里该答复的问题。

我说：中国的银行资本是有某种独占的形态的。在战前，以金城，大陆，中南及盐业结合而成的“北四行”，是在一定程度之内，垄断了华北金融业务的。民国十六年以前的南五行（由“中国”、“交通”、“上海”、“浙江兴业”、“浙江实业”五银行组成）是在华中华北占有极大的金融势力的。后来“中国”与“交通”两行，与“中央”、“中农”及中央信托局邮政汇储局，组成国家资本的四行两局，更具有很大的威力了。剩下来的上海商业储蓄银行，浙江兴业银行与浙江实业银行，亦有构成一个集体之趋势。以地方性的银行而言，亦未尝不是如此。你看：四川的“川盐”、“美丰”、“和成”与“川康平民银行”，不是呈现一个集团的姿态吗？云南的“兴文”、“云南矿业”、“劝业”及“益善”四个银行，不亦是呈现一个集团的姿态吗？中国到底是一个半殖民地的国家，独占的银行资本，较诸美国的摩根及洛克裴洛，当然是小巫见大巫，但是，我们却不能因为这样，就不承认中国的银行资本有集中倾向。

中国产业资本的集中倾向，不及银行资本远甚，但是集中的倾向正在渐渐地伸展着。战前荣宗敬氏的“申新纺织无限公司”和“茂新”、“福新”面粉公司是纺织业和面粉的巨擘。以申新而言，第二厂是民国八年吞并“恒昌源纱厂”的，第五厂就是民国十四年吞并“德大”的；第六厂亦是民国十四年吞并“常州纺织公司”的。新加坡侨商郭氏家族所主办的永安纱厂，第二厂是吞并“大中华纱厂”的，第三厂亦由吞并而来。张季直手创的大生各厂，常州刘国钧氏主持下的大成系统，武汉苏汰余氏领导下的裕华系统，都是以集团的姿态出现的。刘鸿生氏的大中华火柴公司，毛织业及水泥业的经营，颇具康采仑的姿态。大中华火柴公司是刘氏收买东南各地火柴厂而成的，此外，战前虞洽卿氏的航业包括了三北，鸿安及宁绍三个轮船公司，卢作孚氏的民生公司，不仅独占西南的运输业，而且经营了机器及其他各种业务。抗战以来在后方新成立的企业组织，更多具有康采仑的色彩，如华西建设公司包括农林，畜牧，制革，开矿和贸易几部门；宝源企业公司包括煤矿，运输，油蜡，酒精和地产几部门；中国兴业公司（该公司在胜利来临后关门了）包括电业，矿业，钢铁和机器各部门；贵州企业公司则包括了开采煤铁，木业，化学，玻璃，机器，面粉，油蜡，丝织，纸烟，建筑等部门。这一切，证明中国的产业资本，已渐渐走上集中的道路，纵然集中的程度，还不及银行资本。

银行资本已经集中，产业资本亦渐渐的集中，但，他们有没有结合起来呢？我的答复是肯定的。

一般说来，是银行资本侵入产业，或者是大银行家与大产业家在事业上的合作，对于中小工业进行吞并，这种形式特别在战前的几年，随着银行的集中运动和民族工业的颠沛狼狈而开始活动起来。抗战以后，有更新的发展。民国二十三年，曾有把全国纱厂面粉厂归银行团管理的传闻；穆藕初氏主持下的豫丰纱厂因为债务关系，交给中国银行去了。骆耕漠先生在其《论目下中国经济的不景气》中，描写抗战前夜银行侵入工业的情形如下：

> 过去半年（指一九三七年——引者）间，产业投资的增加有两种方式，一是扩充资本；一是新创事业……如大中华橡胶厂，增资百万元，中国水泥公司增资九十万元，此外如筹备多年的湖南酒精厂和温溪造纸厂，亦于本年正式实现。——其中最可注意的，如中国棉业

贸易公司增资八百万元，由中国交通各银行分担，湖南衡中纱厂由该省与中国银行合办，资本二百五十万元……据说中国银行还拟在湘再办纱厂五家……鄂建设厅以棉产丰富，亦决定在鄂中鄂北各办一纱厂，资本各三百五十万元，将由中国银行分行担任十分之八……江西邻业公司得到沪上各银行合作，增资二百万元！……。金城银行与民生实业公司，已合资三百五十万元，在四川巴县设立嘉陵纺织厂……至于中国银行和中国建设银公司对纱业的投资，据报载，还存更大的计划，他们预备在川、陕、豫、甘、晋五省，分设五大纱厂。（《认识月刊》二期）

这些计划，由于“七七事变”爆发，许多是流产了的，抗战以后，各大银行利用其种种的有利条件，对于产业的侵入，更加活跃，计成立的较大的企业组织，如中国兴业公司，大华实业公司，华西建设公司，贵州企业公司及川康兴业公司等等，都无不有大银行之投资。

单以贵州企业公司而言，“中国”“交通”及“农民”三银行所占的股份，即占百分之六十八.三三，其他产业组织上未尝不如是，例如渝鑫钢铁厂的资金，是得自中国银行与金城银行的资助的。战时中国的产业很可怜，银行对于工业之投资在其黄金的总额中所占比重是渺小到不足道的，但这些材料，证明现在大后方的银行资本，已经把它的势力伸入产业了。银行伸入产业是中国独占资本的一面，但中国的大企业家，亦有伸其势力于银行者。在抗战以前，荣宗敬氏就是一个好例。与荣氏有关的，不仅是申新纺厂与“茂新”、“福新”面粉厂，而且有中央银行、中国银行、上海储蓄银行，及中和商业储蓄银行。他就是这些银行的董事。火柴大王刘鸿生氏，亦是中国企业银行的董事长，上海煤业银行的董事，中国国货银行的监察人。到了后方，刘氏与国货银行的关系仍是很密切的。中国大企业家之伸其势力于银行，固然是不可否认的事实，但比较起来，总不及银行伸入产业之普遍而有力，故从一般现象来说，中国的大产业组织，是逃不了银行资本之控制的。抗战以前之几年，曾经做了“中央”、“中国”、“上海”及中和银行的董事的荣宗敬氏，不是常常在这些银行之前乞援吗？

在中国大银行资本是与产业资本结合着，中国是有独占资本的，但，中国独占资本乃是握在大官僚的手中。陈伯达先生说得好：

“中国大官僚，在各种机遇上，经营了两种‘近代’的事业，大工业与银行。历来许多人把由中国人经营的近代机械工业，看成完全是官僚创始，而忽视了社会经济各种的历史结果，这当然是不对的，不过，许多较大规模的工业，除了外资创办而外，确实是由官办的形式首先着手经营的；近代银行事业的创办亦是一些大官僚们当外国银行在华发展之后，首先着手经营的。大官僚的所经营的这两种事业，在实质上，结果都成了买办式的事业。”

以前不要说，就是经过改组参加大量官股以后的中国和交通两行，仍占有不少的私股，这些私股当然不属于普通人员。不是官僚，就休想问津；而这些官僚又可利用国家资本以培养其自己的力量。实际上，国家资本的“国营”，就变成为官僚资本的“官营”了。过去盛宣怀与梁士怡之于交通银行，王克敏之于中国银行，现在，孔宋两氏与党棍陈氏昆仲等之于四行两局，还不是如此么？至于大官僚自己经营的私人银行，如汉奸周新民等之于金城银行——北四行的中枢，那就更不用说了。总而言之，无论北四行也好，无论南五行也好，无论国家四行也好，无论地方性的什么小四行也好，大股东，大董事，那一个不是官僚呢？中国的银行资本是以官僚资本为核心的。至于企业，属于“官办”的，名义上虽为“国营”，但实际上，何尝不是握在官僚手里？高叔京先生说得好，“以旧式官僚的态度而办新式工业，是根本的矛盾，他们只做到新式工业的表面工作，并未创立工业不拔的根基。这样的工业，一遇到外来经济力的打击，即不能自存，甚至经营公营实业以饱私囊，以前的官吏是站在生产圈外来剥削，现在的官吏可站在生产圈内来剥削，这剥削都是官僚主义的特征”（《新经济》二卷八期）。高先生这里所说的“剥削”似嫌笼统，我认为该明白地指出这是属于前资本主义的超经济的剥削，比较切实些。至于商办的企业，有一部分是由官僚投资的。新式工业之由官僚兴办者，自官督商办后，日以滋多。如聂潞生设恒丰醴织新局于上海（一八九〇）；

李鸿章设伦章纸厂于上海（一八九一）；盛宣怀设华盛纱厂（一八九三）及大德机器榨油厂（一八九六）于上海；张謇设大生纱厂于南通（一八九八及一九二四）、崇明（一九〇七）海门，及耀徐玻璃公司于宿迁（一九〇八）；鲁督胡廷干设博山玻璃公司于博山（一九〇四）；熊希龄设醴陵瓷业公司于醴陵（一九〇五）；郑孝胥设白晖毡呢厂于上海（一九〇六）；两江总督端方设江西瓷业公司于鄱阳（一九〇七）；黎元洪设中兴煤矿于山东晖县（一九〇八）及鲁丰纺织公司于绛南；周学熙设华新纱厂于天津（一九一八）、青岛、卫辉及唐山（一九二三）；倪嗣冲等在欧战期间设纱厂于天津等等。民国十七年以后，新式官僚之投资于工业的，亦并不少。抗战以来，后方许多重要私人企业，如中国兴业公司，如华西建设公司，如华福烟草公司与后期的南洋兄弟烟草公司等等都是以官僚资本为台柱的。官僚资本渗透在大银行里，同时亦渗透入大产业里。官僚资本或者以两面投资的办法，联结了银行与产业，或者以吞并的方式，使银行侵入产业，故官僚资本成为中国独占资本的主体。在这里，我们还应指出一个特点，这就是银行之投资于工业，是远不及它们之投资于商业与投机的，故某种程度的银行与工业的结合还不能显示中国独占资本的特征，必须指出银行与商业之结合才能显示它的特征。抗战以来，官僚资本在后方所表现的恰恰是如此。有特殊政治背景的大银行，不遗余力的从事商品囤积，发挥其商业资本的作用。某巨公的私人四联总处就是以一家银行和三个商行构成的。这就是以官僚资本为本体的银行资本与商业资本的结合的典型。

一如毛泽东先生所指出的，官僚资本亦即大地主大银行家大买办的资本。这种资本，侵入了银行，侵入了商业，侵入了工矿甚至侵入了地皮农田，这个资本之所以特别是因为它具有政治上特殊的条件。处在殖民地半殖民地半封建社会的环境之下，这种资本，不断地发挥其买办性和封建性的作用，在金融上，它是便利帝国主义列强之对华贸易的。它在现代产业中，亦以其侵蚀的作用，使“官办”企业变成外资的俘虏，使“商办”企业同样成为外资的附庸。而由买办起家的企业家，又常常与大官僚沆瀣一气，千丝百缕地在连结着。这就是说，官僚资本在银行资本之形态下，在其为便利于外资之推销的情形之下，与帝国主义显得水乳交融；在其采取产业资本的形态时，虽与帝国主义的利益冲突，但又常常与帝国主义来往。同时官僚资本的囤积居奇的活动，它的购买地皮农田而对农民剥取高度地租的行为，则是在发挥封建性的作用的。因此，我们可以说，官僚资本乃是中国的特殊的独占资本。这种资本，是以中国的政治经济环境为土壤的。

丙　民族资本

谈到民族资本，那是指民族工业资本。中国民族工业资本的处境是很困难的，帝国主义的商品和在华的外资企业，不断地给他们以打击，而银行资本又以高利贷的咀吸，对他们作乘火打劫，巧取豪夺。所以中国的产业资本虽有八九十年的历史，虽在第一次大战时曾经舒展了一次，仍不免在过着辛酸的日子。

发展国民经济的锁钥是冶炼，是机器，是动力等工业。战前我国这些工业的状况是怎样的呢？以煤炭来说，全国每年的产量不过二千余万吨，以生铁来说，连土法在内，全国每年亦只有四十余万吨而已，如果与列强比较起来，煤的产量，只占美国的十七分之一，只占英国的十一分之一，只占德国的九分之一强，铁的产量只占美国的四十八分之一，只占英国的十五分之一，只占德国的四十五分之一。至于动力，据建设委员会二十三年之统计（我国东三省在外），发电量为五四二三九九瓩。这个数字，如果与英美比较，那就微小得不可言状了，更可惜的是这些微小的产量，还不完全属于中国的民族资本。以每年二千余万吨的煤量说！日资的抚顺占了七百九十万吨，英资的开滦占了五百四十万吨，即达总额之一半。若把其他外资煤产计算在内，英资占百分之二五，日资占百分之四十左右。以每年四十余万吨生铁来说，与日资有关系的铁厂占百分之九十五以上，输往日本的占百分之八十以上。以五十四万二千余瓩的发电量来说，外资占二十七万三千余瓩，即百分之五〇点四。由此可见，作为工业基础的冶炼，机器与动力，是“太阿倒持”了的，就是退一步，以民族资本比较发达的轻工业而言，亦呈现“喧宾夺主”的情势。在一九三五年全国四百九十五万余纱绽中，日资占了一百九十四万，英资占了二十万，英日合起来，共占全国纱绽总数百分之四十四。同时，全国四万八千余架布机中，日资占了二万一千余台，英资亦占四千台左右，英日合起来的布机几占全数百分之五十三。中国民族工业的脆弱性，还不只此。如果从中外的资本有机构成之高低，更可看出中国民族工业的孱弱来。以纺织业作例吧！战前日资在华纱厂每锭占六百八十元，而华资纱厂非用三百五十人至七百五十人不可，华商纱厂资本有机构成低，生产率自然落后。

中国民族工业的脆弱性，就产生了民族资本的依赖性，这种依赖性，表现在华资工厂的五金机器主要仰给于外国，表现在华资工厂所需要的某些原料，有的必需仰给于外国，如制造火柴的白杨，椙木，椴木等，有的虽不仰给于外国，但却被外资（特别是日资）所操纵，如纺织业的棉花棉织等；表现在华资厂矿因借外债之故，受到外资的支配和归并——如“裕大”、“宝成”、“崇信”、“久兴”等纱厂之受外人经营管理，河南之中原公司合并于英资福公司，六河沟煤矿归并于中日实业公司；表现在中国一些厂矿的出品受到外资的控制——如大冶、象鼻山、繁昌各矿的铁砂，被迫输往日本，华北的“柳江”与“长城”煤矿，在运输上，在生产上，完全依靠英资的开滦煤矿局。除此之外，民族资本在经济上对于大银行资本，官僚资本亦显得有依靠性的。

民族资本的这种脆弱性，依赖性，又形成它的投机性。因为它无力冲开重重的压力，像正常的资本主义国中的产业资本一般，扫清并握有国内外的市场，而另一方面却又欲图存，却又欲设法扩大其资金，那就只好投机了，因此，他们在经营产业之外，又从事于投机事业了。《子夜》中的吴荪甫拿“益中公司”里的资本全部做公债，就是中国产业资本家的写照。

中国的民族资产阶级，主要都是中等资产阶级，他们大都是参加生产过程之管理的；他们受了帝国主义的压迫，又受了封建残余的束缚，他们对帝国主义与封建残余都有矛盾，就是官僚资本的大银行亦常以金融的鞭笞去打击他们，挤迫他们，因此他们对于官僚资本亦是有矛盾的，但由于他们在经济上、政治上的脆弱性，由于他们对帝国主义封建残余和官僚资本的依赖性，所以，他们的积极作用，常常被冲淡了，甚至于被扭弯了，不过，中国的民族产业资本毕竟还是受压迫的，许许多多历史使他们不能发展，但中国是必须工业化的，要工业化就必须在各方面，从资金，税制一直到运输，都应给他们以帮助。在战前，他们是没有得到帮助的；在战时，财政政策与经济政策的矛盾，经济政策之彻头彻尾的统制独占，更给与他们以极大打击。这几年来，后方产业界之要求经济民主，就是对于现行政策的抗争。

丁　华侨资本

华侨资本与英美资本主义国家对落后国家的商品或资本输出，是不相同的。中国本身就是一个产业落后的国家，商品的输出十分可怜，资本的输出，更谈不到。远涉重洋的华侨是只身在海外创立基业的，他们的企业是白手成家，从小本经营一直发展起来的。从方式与业务来说：一些地方的华侨资本，如在南洋一带，多半带着前资本主义的气味，对土人作高利贷性的商业经营；有些华侨资本则为居留地统治国的资本服务，带着买办气味。

中国的华侨约一千万人，绝大部分是在当苦力，做小贩，有的甚至卖身作“猪仔”，能够创立企业的，毕竟占少数。华侨的籍贯，以广东福建占多数，其散布的领域，甚为辽远。南北美洲和欧洲，皆有华侨的足迹，但他们人数最多的地方，应算南洋。新加坡，泰国，安南荷属东印度以至婆罗洲等地的商业，华侨皆占有相当地位，在制造业方面，则以橡皮，水泥与碾米为较有成就。某些地区，如泰国，华侨且经营金融保险。以人物而言，陈嘉庚在新加坡，黄仲涵在爪哇，郭顺在澳洲，司徒美堂在美国，都是很负盛名的。华侨汇款是闽粤二省的收入大宗。这是补偿国际收支的不平衡的一个因素。这对于中国国民经济，是极有贡献的。华侨返国投资工业者以潮州人张振勋在烟台的张裕酿酒公司为最早，其次为简照南昆仲的南洋兄弟烟草公司，郭桢祥的华祥制糖公司，郭顺的永安纺织公司等等，华侨的投资是中国国内产业资本的来源之一。

因为中国是一个半殖民地的国家，政府没力保护华侨，一千多万远离祖国的侨胞，无时无地不受到居留地的政府的压迫。在南洋一带的华侨，还要受到日本帝国主义的欺凌，实际生活使他们认识中华民族非争取独立自由不可。因此绝大部分的侨胞，都是热心于民族解放事业的。孙中山先生早期的革命运动，得力于华侨的支持者甚多。自日寇侵占东北以后，侨胞更为抗战团结而努力，如以实业家与教育家驰名于世的陈嘉庚先生，就是此中最值得钦佩的一个人！

在国外的华侨资本虽带着买办性，带着前资本主义的商人资本的气味，但一般说来，民族意识是比较浓厚的。太平洋战争爆发，敌人的铁蹄，蹂躏了整个南洋，绝大部分的华侨，都弄到产业荡尽，家破人亡，对于敌寇，更有血海深仇之认识。民族意识是比以前更坚强了，但华侨资本的资力，却因此比以前削弱了一点。

不过，华侨资本的前途，并不会因为这么一来，就会绝望的，只要把日本强盗打败，只要将中国的国际地位提高，则华侨资本的发展，分明是十分有望的！观于抗战以来华侨资本对国内投资之积极，我们可以预料他们将来在发展国民经济的时候，必定有更多的贡献！

中国私人资本之所以划分为买办资本、官僚资本、民族资本及华侨资本，是以他们的作用及特性为着眼点的，如果从资本的所有者来说则可划分为“大资产阶级，中等资产阶级及城市小资产阶级”三大类。一般说来，大银行家，大商人，官僚资本家，和那一部分带着买办性的大企业家，是属于大资产阶级之范围中的；民族工业资本家，在基本上，则属于中等资产阶级；华侨资本有一部分属于前者，大部分则可划入中等资产阶级。至于城市小资产阶级，将在下文研究小商品生产时加以分析。

四　封建的生产关系——地主经济

这里所说的封建生产关系主要是指中国现在的农业经营方式，这种经营方式的内容和地主经济的特点。

中国农业经营中一个最重要的特点，便是细小的经营。陈翰笙先生在其名著《现代中国的土地问题》中，曾充分说明细小经营在中国农业经营中所占的地位。他指出中国与印度相同，耕地分散得很可怜。“在德国的巴登，小农田很为普遍，每家农田的平均面积是三点六公顷（Haotole），日本最贫困的农民的农田面积是零点四九公顷，但在江苏无锡，所调查的七百户贫农，他们的农田的平均面积，只有零点二九公顷；河北保定的八百七十家贫农之中，每家农田的平均面积有零点五三公顷，即以所有农民的农田混合计算，无锡的农家平均只有零点四二公顷，保定农家平均不过一点零六公顷而已”。农业的细小经营，可以看出这种农业经济的社会意义来：

> 在封建生产方法支配之下，直接生产者为小规模的个人生产者——农民或手工业者，说得好一点，或是个人的家庭，生产之小规模的个人的特性，乃是区别封建社会和古代蓄奴社会，尤其区别封建社会和资本主义社会的特征。

我们在上面尝经指出，中国土地的所有权是与使用权走着对立的方向。土地所有权是不断地在集中，而使用权则不断地在分散。农业经营的细小，就是使用权不断分散的表现。土地愈集中，则握有这些土地的地主，更分散地把土地租给那些痛感土地饥饿的贫农。固然，中国有些地方，特别在商品经济较为发展的区域，存在着那种资本主义性质的租佃企业，例如广东的果园经济，江浙，无锡，嘉兴与上海附近的蔬菜，果树甚至稻作的规模较大的经营，以及绥远一带垦殖区域的集资经营等，都属于这一类。他们租进土地，雇用工资劳动，从事经营，可是，就全国农村而言，这种企业显然没有占着支配的主导的地位。中国的农业经营的内容，不仅“不在地主”没有与生产发生关系，就是“在村地主”亦把他们的土地租给贫农；不仅地主把土地分散地出租给农民，就是富农亦具有小地主、高利贷者、小商人等等半封建的上层分子的姿态（固然他们带着资本主义企业的性质）。有不少富农由于出租土地因而渐渐变成地主了。地主和富农出租的农田主要由贫农租进耕种。这种情形在水田区域特别显著。抗战以前，江苏无锡的贫农租种的田亩，至少占百分之八十；广东方面，竟在百分之九十以上。广西西北部，自有田亩的农民较多，但根据二十二县四十八村的调查，该省贫农使用田亩中租田还占百分之五三点二，中农为百分之二九点一，而富农仅为百分之九点九。有地较多的地主，甚至富农，既然将农田出租，而租进田亩的又多是那些没有土地或土地较少的贫农，故细小的经营便成为中国农业生产的重要形式了。陶直夫先生说得好：

> 中国目下土地所有底集中，并没有产生大规模的资本主义经营（不论是类似东普鲁士的那种地主经营，或是类似英国那种租佃企业家），而只为经营和技术异常低劣的零细田场安排了最坚实的基础。这个基础正由地主、富农、高利贷者、商人、以及军阀官僚的活动来维持。他们正以地租、利息、商业利润、税捐、征派等等形式，绞榨贫困农民的血肉，践踏他们的生命，并破碎他们的经营。于是，农村大众的生产能率在此缩小再生产的过程中，不得不急激减低，而土地所有和农田使用间的矛盾，就在此种生产力极度减缩的过程中尖刻地表现出来。（一九三四年八月出版的中山文化教育馆季刊一卷二期）

由此可见：中国农业经营的细小形式，是适应于超经济的封建剥削的内容的。农田经营的规模越细小，则地主对农民的剥削越加深刻。在上一章，我们曾经提到田租的高度。在这里，我们还应补充的是：三种地租形式，中国都存在着。力役地租流行的地方较小；现物地租则较为广泛；次之乃为货币地租。在现物地租中，不论板租法亦好，花租法也好，议分法亦好，都是超经济的剥削，都是包括着相当于平均利润以至相当于工资那一部分的劳动生产物的。货币地租大概行于公有土地、官有的土地以及商业资本较发达的地方。这种地租形态的盛行是跟商业、城市工业、商品生产及货币流通的发展有重大关系。货币地租的发展，造成了资本主义榨取的前提。因为这种地租形态使直接生产者对于地主的强制关系转变为契约关系，使直接生产者更受掠夺，或使他转变为极小的私有者，使一无所有和受雇于人的雇农有着进一步的发展。有些人看见货币地租就认它属于资本主义的范畴，这是形式的看法。中国所流行的货币地租在实质上，完全是封建性的，不过是把现物地租改换为货币的形式罢了。这从租金之高，可以看得出来。

抗战时期，由于币值之不断下跌，由于谷价之不断飞涨，后方各处地主，不但把货币地租改变成为现物地租，而且把地租额提得更高，把押金加得更重，把田赋征实的负担加倍地压在佃农的身上。此外，还有提高利息，收买早麦早稻，收买粮食库券，转嫁一切苛什给佃农的办法。这一切，把贫苦小农的一点稀薄的血汗，都吸得净光了。尽管货币经济在不断地发展，尽管表面上农民的口袋里藏着钞票，尽管钞票大量地流入穷乡僻壤，但农村经济的实质，毕竟仍是封建的！

根据上面所说，我们可以看出中国的农村经济命脉，是握在地主手里。在地主之下，辗转着无数的贫苦佃户。地主的财富从无数的贫苦佃农身上刮夺得来；地主经济的基础，乃是建筑在无数贫农的细小经营之上。不但如此，地主大都是收租者、商人、高利贷者及行政官吏的四位一体的人物。陈翰笙先生在其名著《现代中国的土地问题》中指出：许多的地主兼高利贷者，可以变为地主兼商人，许多的地主兼商人，又可变为地主商人兼政客，同时许多商人政客又可变为地主。地主大半有糟坊（酿造所）油厂及谷仓；另一方面，货栈及什货店主人，就是土地的受押人，实际就是土地的主人。这是著名的事实，地主所有的当铺及商店，是和军政官吏的银行相联系的。一九三〇年春，江苏民政厅曾调查该省五一四个大地主，其中有几个专以放高利贷为业，其余亦莫不与高利贷有关。有些地主是军政官吏，且常是承办税务者。他们的收入，兼有地租与税收。江苏北部，经济较为落后，地主以官吏为职业的更多。江苏南部的地主，多以放高利贷为业，且有从事经营实业者，此在北部则绝无。经过调查的五一四个大地主，“他们每户占有土地千亩至六万亩，其中三七四个大地主，都有主要职业，其余一四〇个大地主，虽未确知其操何职业，但纯粹收地租者为数很少。在三七四个地主之中，百分之四四.三九为地位不同的军政官吏，百分之三四点四九，为当铺及钱庄老板或放高利贷者，百分之一七点九一为店主及商人，仅有百分之三二点一为工厂股东。中国的地主，类多放高利贷，由地主而变为工厂股东者很为少见。至于地主官吏以东北西北各省为多，地主商人则以山东、河北、湖北及其他商业较发达之处为多”（转录自《中国土地问题和商业高利贷》三〇——三一页）。这种情形，在抗战以来的后方不但没有减轻，反而加重起来。后方的地主与商业资本年来是密切地结合在一起的。收租和囤积居奇，几乎成为一种有机的联系了。地主经济的扩展，毕竟并非国家民族的利益。地主经济对于农业生产显然是对立的，是矛盾的。封建剥削使农民日益贫困，农民的贫困，使他们失去提高生产的能力与兴趣，农田的生产额便会不断降低；灾荒便没法避免。在这种情形之下，使用花租法和议租法的地租，必然相对地跟着减少；就是使用板租法的地租，如果到了山穷水尽之时，难道有什么好结果吗？

五　小有产者的经济

小有产者的范围很广，它包括了知识分子、城市贫民、职员、小商人、自由职业者、手工业者和广大的农民阶级。但在这里，我们所欲谈的，只是手工业者与农民阶级。为什么如此呢？原因是这样的：我们在这里的着眼点，不是社会阶级的分析，而是注意于社会经济组织的形式。手工业者与农民阶级，一般说来，他们的经济，是小规模的商品生产。手工业者所制造的东西，并不是为了自己的消费，而是为了定货，为了市场的；就以农民而言，极大多数是出卖谷物的。有剩余农产物的人，固然把它们当作商品，拿去出卖；没有剩余农产物的贫农，为了还债，为了纳税，亦不得不剜肉补疮，把自己所需要的粮食拿去出卖，以应“燃眉之急”。手工业者与农民的这种情形，分明是与知识分子、城市贫民、职员、小商人及自由职业者不相同的。小商人只是把人家生产出来的东西，买入卖出；知识分子、职员与自由职业者只是出卖精神劳力或技术，并没有产生商品，出卖商品。在社会经济的生产中，他们还不能成为一种组织形式，因此，我们在这里所说的小有产者的经济，就只以手工业者与农民阶级为对象了。

手工业者是独立的生产者，他们有自己的工具，或原料；他们以自己的劳动，使用自己的工具把原料加工制造，这些人们散布在城市及农村中。中国在鸦片战争以前，在一些地方，如苏杭一带的丝织作坊，江西景德镇的制造磁器，华北一带的煤矿，四川自流井的盐社，都是有手工工场（Manufacture）的性质。鸦片战争以后，这些手工工场还继续存在。在这些地方做工的手工业者，都是属于雇佣劳动的，并不能称为独立生产者，并不是属于小有产者的范畴中。这是我们所应区别的。

农民在全国人口中，占百分之八十。他们一般都是小资产阶级，但其内部，是在激烈分化的过程中。故他们并不是一个单纯的阶级，而是由许多阶层构成的。第一是富农，约占农村人口百分之五左右，这是农村中的资产阶级；他们自有或租进多量土地雇用多数雇工，自己虽然参加耕作，大部分工作，乃由雇农负担，同时他们多数出租一些土地，兼有小地主的地位。第二是中农，在中国农村人口中约占百分之二十左右。中农有适当土地和劳力，并不出租土地，亦不雇用多数雇工。有时他们还被雇于人，有时租进土地，不过为数不多。一般说来，中农不剥削别人，在经济上能够自足自给，年成丰收时能有些许盈余，有时亦利用一点雇佣劳动或放一点小债。第三是贫农，他们是没有土地或土地不足的广大农村群众，是农村中的半无产阶级。如果与雇农一齐计算起来，他们共约占农村人口百分之七十。

除了富农以外，中农、贫农以至手工业者，在经济上，或多或少，都是受到剥削的。以中农来说，除了一部分富裕的人以外，多是土地不足的。土地不足，就要从地主租入土地，于是乎地主的封建剥削，就会加到他们的身上来。土地足以自耕的中农，则负担着田赋及其他捐税的不公平的重负。贫农极大部分是贫困的佃户，他们在极端不利的条件下，向地主租佃了一点小小的土地。地主超经济的剥削，是高高地压在他们的头上的。有的贫农还要兼带被人雇用。这就是说，他们常常在租佃关系或雇佣关系上，受到地主和富农的宰割。

除了封建的租佃关系或雇佣关系以外，压在小商品生产者的头上的，还有商业高利贷资本以至外国商品的竞争之打击。

要明白商业高利贷资本与外国商品的竞争之打击，必须先明白一般农民对于市场的依赖关系。在前面，我们已提到广大农民之出售谷物，但出售谷物仅仅是农民依赖市场的一方面，还有一个方面必须注意的，这就是广大农民从市场购入食物和用物。据抗战以前的调查，各地农民的日用品由市场供给者，没有不在百分之五十以上。即以最自足自给的食粮而言，亦有大半从市场购入，如杭州笕桥附近的农家，每年购入粮食占全部消费中百分之七十五，自己生产者不过百分之二十五。四川成都平原所调查的农家，其购入粮食亦占百分之三十四以上。在售出方面，亦颇可观。据调查，战前河北盐山县农民出售的农产物占全产额百分之五十六；安徽芜湖农民的农产物只有百分之四十四系供自用，售出的要占百分之五十六。至于农产物种类的变迁，亦至显然。有许多地方，棉花、烟草、苎麻等原料植物的种植，已经排斥了自足植物如稻麦等栽培。如陕西关中三四十年前，早有“棉花入了关，包谷下了山”的谣言了。农民这样的依靠市场，那么，商业高利贷资本以至外国中商品竞争的打击，其影响为何如呢？

在上面，我们已看见中国是一个小农经营占优势的国家。因为小规模的农业经营，所以生产量并不庞大，因为生产量并不庞大，所以没有力量自行推销其所生产的农产物，更没有力量使之直达消费者的市场，因此，农民便不得不在当地，随时把农产物售出了。抗战时期，日用品不断上涨，据中国农民银行三十二年度调查全国十四个省份（每省一县）乡村物价，其中有九个县份农民购买力指数都较战前低落，只有五县较战前高一点，但一般还是走着跌落的道路，兹以荣昌为例，农民所得物价指数，二十六年为一〇〇，二十七年为一〇五，二十八年为九九，二十九年为三八五，三十年二〇一二，三十一年四三四三，三十二年（十二个月）一六二七六，反之农民所付物价指数，以二十六年为一〇〇，则二十七年为一一六，二十八年一八〇，二十九年五九〇，三十年一七五二，三十一年四五六三，三十二年（十一个月）二二〇〇二，相形之下，该县农民之购买力指数，二十六年为一〇〇，二十七年为九二，二十八年为五五，二十九年为六五，三十年为一一五，三十一年为九五，三十二年（十一个月）为七七，农民银行在调查中所付物价之物品共二十二种，其中半数以上是农村可以生产的如面粉，猪肉，菜油之类，如果将这些物品除去，则农业品与工业品的价格之剪刀形，更会明白。在这种情形之下，农民是更苦了。所谓选择市场，争取高价或获得良好出售机会，都是谈不到的。而这一切，又成为商业资本控制农民的有利条件。

在农村中，高利贷资本的剥削，是与农民结不解缘的。为了纳税，为了还租，为了度过灾荒，为了救济某种燃眉之急，农民要乞灵于高利贷，手工业者亦要乞灵于高利贷。这是前面已经提及的。现在我们所要说的是商业资本的高利贷作用。商业资本之高利贷作用，其发生于农产物贸易上的，主要是农产物的“预卖”与农产物的“抵押”。中国国内是没有统一的市场的。华中在丰收而广东却在大量运入洋米；华北各省有积滞未销的麦，而上海却在大量运入洋麦，这是抗战以前常常遇见的事情。国内统一的市场的缺乏，与一般农民的穷困，使他们不得不在其农产物未收获以前，即以贱价“抵押”或“预卖”出去。华中华北的棉花，山东两湖及广东一带的烟叶，湖北江西与广东等处的苎麻，浙江各地的桐油或桑叶，都是在未收获前预卖的。不但原料农产物如此，就是一般食料亦如此。各地的“卖青苗”，就是这么一回事。故一般说来，中国农民的农产物至少有一半以上是以预卖的方法出售的。在这种买卖关系中，农民不但对于市场及价格，毫没选择的自主，而且还要受到商业高利贷资本的超经济剥削。

农民由预卖及市集所出售的农产物，需经过多层中间商人之手。每种农产物由原产者之手，达到消费者之手，其间要经过多少中间人的剥削。以棉花贸易来说，棉农的棉花只能售与棉贩，由棉贩再售给产地的花行，又由花行运出原产地。在这里，棉行进货来源，什九依靠棉贩，直接得自产户者，十不得一。其他农产物贩卖，亦是如此。经过的中间人愈多，则剥削亦越多。

农产物卖买的最主要机关，乃是牙行。牙行的收入主要为牙佣，而牙佣必在交易成立之后，才可收到，故贪得的牙行，必尽力谋交易的增加，有不易成的交易，则务为双方遮隐，以求其成。牙行本为双方共信的中间人，到此，则甚至牺牲卖买双方的利益，或迁就一方而牺牲另一方的利益。

这种中间商人对于农民的剥削，除了操纵垄断以外，还利用度量衡的差异与时候的涨落。有的地方，还有什么“扣样”的损失，把一定量的农产品无偿的送给商人。

商业高利贷资本对于农民作如上的剥削，对于独立生产的手工业者，亦作种种的剥削。独立生产的手工业者，常常缺乏资金，缺乏原料，而其所制造出来的商品，又多不能直接贩之于市场，而必须依靠中间商人之贩运。因此，商人便在资金上把他握在手里；或者供给以原料，预定货物，或者直接先购入独立手工业者的产物。伊里奇尝将小生产经济中的商业，分成四个主要形式：第一种形式是商人向小生产者定货，这种形式常有垄断的性质；第二种形式是预买或借钱还货，这是与高利贷资本合一的；第三种形式是以商品来支付向农民所购得的生产品；第四种形式是商人购买家庭手工业者的生产品，而即以他们生产所需的商品（原料与副料）付给他们。在这里，前三种形式是落后的，而中国的手工业，却正流行着这三种落后的形式。

从小商品生产的意义说来，对于农民与手工业者不利的地方，还有一个因素，这就是外国商品（农产品或工业品）对于他们作高压的竞争。中国在国外销售的绿茶，是被日本意大利和印度的出品夺去的。在国内市场，不但洋布压倒了土布，日本瓷器压迫了中国瓷器，而且洋米洋麦又不断地压迫了国内出产的米麦。在这种情形之下，出售谷物的农民受到打击；出售手工制造品的独立生产者亦受到了打击。

抗战初期，因为工业品之缺乏，某些手工业又活跃起来，但是，后来物价不断上涨，资金薄弱的独立生产者，吃不消这种压迫；再益以社会购买力的锐降，销路日蹙，所以许多手工业便凋零下来。在农民方面，因为谷价飞涨，表面上似是对他们有利的，但其实不然。一般贫农甚至中农，因为纳税还租的关系，把极大部分的谷物交缴出去，能够出卖的并不多。有的农民虽能在新谷登场时卖出，但到了青黄不接时却要买入。卖出时便宜，买入时高贵。谷价贵，难道对他们有利么？在物价暴涨中，小有产者的经济，是每况愈下的！

在两头小中间大的中国社会，小商品生产者的数量，是占着压倒的优势的。农民是中国国民经济的主要负担者，手工业者亦是国民经济的一个负担者，他们是应该被重视的！

六　合作经济

合作事业在中国的发端，是始于华洋义赈总会。一九二四年该会以其赈灾余款在河北香河县创办中国第一个信用合作社。到了一九二八年江苏农民银行成立，进行信用合作的组织；浙江省政府与中国农工银行亦注意农贷；一九三一年华洋义赈总会受南京政府之委托，在皖赣湘三省组织赈灾式的互助社与合作社。自此以后，信用合作事业就渐渐引人注意了。信用合作之外，稍为普遍的是消费合作；至于生产合作，则是微乎其微的。

抗战以前几年，信用合作在江浙陕甘等省，是比较热闹的，但在农村经济中尚未能起着积极的作用。据民国二十四年十二月实业部中央农业实验所在江浙陕甘等省所调查，全国农民借款来源，信用合作只占百分之一.三；一般农民依然深陷在地主和富农商人的高利盘剥之中。就以合作社数较多之省份而言，与合作社有关系之农民，在全省人口所占的比重，江苏为千分之六弱；浙江为千分之二点六；河北为千分之五。从合作社的量上，可以看出它的力量的微弱；如果从合作社的贷款的内容来说，则更成问题了。杜岩双先生在其所著《浙江之农村金融》中，指出当时该省已办的合作事业的流弊之一，是“乡之豪强，常假名组织合作社，乃向农民银行借得低利之借款，用之转借于乡民，条件之苛，实罕其匹。此种合作社非特无益于农民，反造成剥削农民之新式工具”(《申报月刊》三卷第九号)。故信用合作的低利放款，经过中间种种剥削，结局还是乡村中的古旧高利，受其惠者只是富农豪绅而已。

抗战初期，中国工业合作协会以新的姿态，打算在前线，在后方，开展工合运动。工业合作协会的任务是以资金和技术援助各地小工业并帮助他们创立合作社。从战时生产与经济建设的观点看来，这是十分需要的。但种种困难的条件，使这个柔嫩的细芽，被绞杀了。困难的第一件事是过去信用合作的失败，使农民深具戒心。因为过去信用合作在豪绅把持之下，着着失败，政府按时前去收款，农民交不出，便大批被拘押。农民既把“合作”看成“坐牢”，推广自然困难了。第二是资金的问题，“工合”初期拟成立三万个合作社，当时假定每社以五千元计，就需要一万五千万元。合作社社员当然应筹集，但行政院当时预拨的经费只有五百万元，相差实在过巨。后来物价不断飞涨，工业合作社的原料问题和产销问题，都大感困难，资金的周转，更大成问题。故许多已开工的合作社，多告关门。正在筹备的自然成为流产！第三是“工合”的各地组织，未尝没有吃苦耐劳的工作人员，但许许多多经济以外的压迫与摧毁，使他们没法为民族国家提高生产而努力。他们被压走了，许多合作社亦就关门大吉了。第四是“工合”的组织系统是头重脚轻的。总会或各地领导机关都很庞大，好像是一座衙门似的。这种机构，如何能推动工业合作呢？因此，那些成立起来的合作社，大多数不是个体手工业者的合作组织，而是一些小厂主因需要资金援助而改头换面挂上“合作社”名义的组织。有的合作社，竟有“投资而不参加工作，或参加工作而不入股”，甚至招收学徒的现象。由此可见“工合”的所以不能发展，并不是偶然的。

合作社本身并不是一种社会体制，它不过是某个社会阶层为达到某种目的的一种手段或政策，在社会经济中它要起什么作用，主要是由主持或控制的阶层去决定的，是由当时所取的环境条件去决定的。中国二十余年来合作运动所以没有发生积极的作用，如果要找出它的原因，必须从中国的社会条件政治条件去找寻。

不过，合作运动在中国并非完全没有成就；后方工业合作的一点基础是不能完全忽视的。但是，能够在社会经济中起积极的作用，能够对人民生活起深切的影响的，应推陕甘宁边区的合作运动。

陕甘宁边区的合作运动，早在抗战以前就开始，但它的发展，是抗战以来的事情。如果从它的发展过程看来，可以划分成三个时期：在一九三九年以前，边区各地合作社以公家股金为基础，再加上向群众摊派而得的股金，这时候是带着公营性的，多成为县、区政府的公营商店。这是第一时期。一九三九年以后，提出了“合作社群众化”的口号，但各地仍多用旧方式在群众中扩大摊派的股金，来推行其所谓“群众化”，因此，合作社仍被群众认为是摊派负担而不被认为是群众自己的。这是第二个时期。只在一九四二年一月，建设厅根据延安南区合作社的经验，提出“克服包办代替，实行民办官助”的方针，各地合作社才从实现这一方针中，取消了摊派入股的方式，摸索地创造着和群众密切联系和群众利害相关的经验。这样，合作事业便急速发展起来了。它在组织人民的经济力量、减免中间剥削与发展人民经济上，起了相当大的作用。

边区已经开展着四种合作社。第一种是延安南区合作社式的包括生产合作、消费合作、运输合作及信用合作的综合性合作社，第二类是运输合作社，第三是手工业合作社，第四是集体互助的农业生产合作社。后方各地所行的消费合作与信用合作，在边区，一般是与生产合作打成一片的，独立的比较少。故在这里，我们所应说明的是南区合作社式的综合性合作社和劳动互助的农业生产合作。

延安南区合作社以消费合作社开始，但它的事业却发展到南区人民经济生活各方面，不仅经营消费事业，还经营供销、运输、生产、借贷以至教育卫生等事业。它组织了纺织、榨油、制毡等六个生产合作社及一个拥有百余头牲口的运输队。它不斤斤于合作社本身的公积金、公益金的百分比的多少，而尽量将赢利分给社员，每个社员都有随时退股的自由，亦不限制社员的资格，亦不一定用现金入股。当它还未在群众中有完全信仰时，它允许人民用公债券、储蓄票入股；当它在群众已有信仰而群众要求入股无钱时，它号召群众可用一切有价实物入股，如粮食、牲畜、鸡蛋及柴草等，以便利人民。在每年春耕时，事先从韩城等地运铧以比市价要贱的价格卖给农民。同时，因为它组织各种生产事业，不但吸收失业工人、招收学徒、安置了工作人员家属，而且扩大了事业的赢利，增加了人民的收入，保障当地人民日用必需品的供给。它的社务完全根据人民的意见来改革；不采取摊派入股方式而是团结社员的积极分子去劝导人民入股。它不限制社员入股数量而照股分红，但在解决社务时，不管股份多少，每一社员都有平等权利。

延安南区合作社除了上面所说的优点外，还有一个优点。这就是以公私两利的方针，作为沟通政府与人民经济的桥梁。经过合作社，一面贯彻政府的财政经济政策；一面又调剂人民的负担使其更加合理化，增加了人民收入，提高人民的积极性。比如一九四一年政府动员驮公盐时，南区合作社要南区人民交纳代金给合作社，而由合作社的运输队代替人民驮盐交政府，比如在政府收公粮以前，合作社动员人民先照上年应交公粮给合作社，合作社不仅保障替社员代交本年应出公粮，而且承认所交公粮的数目即作为人民入股之股份。因此，一方面合作社可以向政府交涉，替政府保管公粮，在政府未支用前，合作社就可将公粮周转赢利；一方面，人民不仅交了公粮，而且入了股。在这种情形之下，政府、合作社及人民三者公与私的利益，个体与集体的利益，密切地结合起来了。

南区合作社从一九三六年起，经过六七年的摸索与艰苦奋斗，截至一九四二年，由一百六十个社员发展到包括南区户数百分之九十以上。自愿入股的一千一百十二个社员，股金从一百五十九元发展到二百万元；由一个社发展到十六个社；净利由数十元发展到一百六十二万元（一九四二年十个月统计）。它发展了南区人民的农工商业，照顾了南区人民经济利益的各方面，成为南区人民的经济中心。一九四二年起，绥德、安定、安塞、甘泉、延长、吴起等县的一些合作社，亦在学习南区合作社的作风。合作社与边区人民的关系，是日益密切的。这种密切的程度，绝非战前各地所推行的消费合作社所能梦想的。因为战前各地的消费合作社，就是战事后方各地的消费合作社，只是起了一点附属的作用而已，谈不到形成当地人民的经济中心的。

陕甘宁边区是一个农业区域，这里的农民一如全国他处的农民一般，都是个体经济。一家一户就是一个生产单位。“这种分散的个体生产，就是封建统治的经济基础，而使农民自己陷于永远的穷苦。克服这种状况的唯一办法，就是逐渐地集体化，而达到集体化的唯一道路，依据列宁所说，就是经过合作社。在边区，我们现在已经组织了许多的农民合作社，不过还不是苏联式的被称为集体农庄的那种合作社。我们的经济是新民主主义的。我们的合作社是建立在个体经济基础上（私有财产基础上）的集体劳动。”由此可见农业劳动互助在当地的提高农业生产方面，是具有极为重大的意义的。

陕甘宁边区的劳动互助，原有“变工”、“扎工”或“唐将班子”等方式。这些都是民间流行的旧方式。所谓变工，就是几家农户之间在进行农业生产时，把人力和畜力加以调剂的劳动互助。扎工与唐将班子，在名称上虽然不同，但内容与组织上大体都是一种集体的雇工组织。扎工与唐将班子的产生，源于许多出雇的短工共同组织在一起，向外出雇，但实际上，大多数扎工不纯粹是出雇的短工，其中且包括一部分自己有耕种地的农民，为了解决劳动力的缺乏才参加扎工，故它们基本上亦是属于一种劳动互助的组织。这些民间形式之利用，在一九三七年便逐渐开始。一九四〇年大致已达到并超过革命前水平。此后二年亦步步上升，但仍属于农民的自发的行动。到了一九四三年，因为当地政府的提倡，全边区的劳动互助走上了一个新的、自觉的发展阶段。一九四三年全边区春耕期间有百分之十到十五，在夏耘期间有百分之四十左右；在秋收期有百分之三十左右的劳动力参加各种劳动互助的组织，如果再去掉一部分不起作用的劳动互助组织，那么，这一年有百分之二十五的劳动力，参加了劳动互助组织，它的数量，比过去最少增加了四五倍。一九四四年的情形，是比一九四三年更为发展的。

劳动互助在农业上的作用是很大的。它具有提高劳动效率，节省劳动力与粮食，提高劳动热忱，解决生产工具的缺乏，及发扬互助精神改造落后意识等作用。除此之外，劳动互助组织还有一个特点，这就是，经过一番改造之后的劳动互助组织，废除了旧式的那种封建剥削。过去民间旧有的劳动互助组织，工主（或包头）要抽空工，抽短工的工钱；用高价出赁与出卖工具，而这些当工主或包头的人都是富裕的农家（中农以上）。劳动互助组织虽然发挥着劳动率，但它的真正利益大半落在富裕的农家手中。现在在政府帮助之下，当工主和包头的大半是小农户了。唐将班子取消了包头抽短工的钱，抽空工和高价出赁等制度；而扎工和唐将班子的绝大多数是朋工和换工性质，只参加少数雇工，在工作上，以变工为主，在有剩余时间时再向外出雇。生产合作的性质更加明显了。在另一方面，过去雇扎工或唐将班子做活的差不多都是中农以上的农户，只有他们才有余钱余粮，亦才有大锅灶。一九四三年在政府帮助之下，小农户甚至新来难民亦有“拉工”或“叫班子”的了。劳动互助在内容上，是明显地在起着变化的。

如果从组织形式与工作范围上来看，亦可看出旧有的劳动互助组织在起着变化。第一是从短期的、临时的、不固定的组织向着长期的、全年的，固定的劳动互助发展；第二从前限于本族亲友之间的复杂的变工现在突破亲族界限，向着全村的范围发展；第三、过去的变工因为限于亲族，所以没有一定的组织和领导人，没有劳动纪律，劳动日的计算亦不严，现在已经由民主方式产生了领导人，建立了劳动纪律，而又能合理的计算劳动日了；第四，过去的劳动互助只限于农业生产上，现在扩大到变工修埝地、修水漫地、修水利、运盐打盐等等。劳动互助组织是在向着各方面扩展的。就以部队机关学校的生产运动而论，虽不按上合作社的名目，但是群众的这种在集中领导下用互相帮助共同劳动的方法来解决各部门各单位各个人物质需要的生产活动，是带合作社性质的。

边区是一个农业区域，现在农民的农业生产合作社日比一日的在发挥其重要的作用；同时手工业的合作社，包括生产与消费的综合性合作社，亦都在人民实际生活中起了深切的作用。敌后各解放区的合作运动，亦朝着这个方向发展。从个体经济转变为集体经济，合作社是一条大路。合作经济在中国的将来，是有光明的前途的。

七　公营经济

公营经济主要是指公有资本经营之工矿及交通事业，但农业方面，未尝没有公营的。这就是所谓官田。

满清政府时代的屯田学田等，因政权转移，一一变为私产；现在所谓国家所有的官田，主要是荒地、芦苇地及沙地冲积地等数种。凡未经开垦的土地，过去和现在都认为是国家所有。官僚、土劣、富商和高利贷者对于荒地的掠夺，不遗余力。他们组织所谓“垦植局”或垦植公司，以贱价将闲散的土地买去，而以高价重将土地转卖出，或以奴役的条件，将土地租佃出去，高度剥削农民。所以，农业方面的官田，实际上乃是私田；就是一些实际在经营的公有农场，顶多亦只有“示范”的作用而已，对于国民经济，是没有积极的意义的。因为这些原因，我们在论述公营经济时，就单以工矿及交通事业为对象了。

公有资本所经营之工矿交通事业，按行政单位之不同，可分为国营、省营及市县营三种。兹分述于下：

中国新式工业之发展，从一八六二至一八七七年，为军用工业兴起时期。这个时期所举办的主要事业，为制炮局（一八六二）、江南制造总局（一八六五）、马尾船政局（一八六六）及天津机器制造局（一八六六）等，均为国家资本。这是近代中国经济史上之所谓军用工业时期。一八七八年以后，入于官督商办时期（一八七六——一八九四）。国营事业，虽因国款支绌，新兴者渐告减少，但非完全停止。计此期官办工业有甘肃呢绒局（一八七八），湖北织布纺纱制麻缫丝四局（一八九三）及各省兵工厂——其中以汉阳兵工厂为著名。至于官督商办之工业，则有织布局（一八九〇），机器纺织总局（一八九三），开平煤矿公司（一八七八），漠河金矿（一八八八），大冶铁矿（一八九一）及汉阳铁厂（一八九三）等。自此以后，国营工业日渐衰落。交通事业方面，中国最早的一条铁路，应推一八七六年完工的淞沪铁路，但“大量”建筑铁路，乃是一八九五年以后之事。从一八九五年至一九〇五年十年间，由外人直接投资经营的，有东清、胶济、滇越三线，共二千一百零九哩；由借款兴筑的，有京汉、汴洛、正太、京奉、道清、沪宁、粤汉七线、共二千八百七十一哩。这五千哩的铁路，完全是帝国主义强迫筑成的。一九〇五年至辛亥革命时期，建筑了津浦、粤汉、广九、沪杭、京汉、吉长、新奉（新民至奉天）等三千零二十三哩。这都是借款筑成的。据第一次中国经济年鉴所述，我国国有铁道，计有北宁（一九〇四开工）、平汉（一八九七）、平绥（一九〇五）、津浦（一九〇八）、胶济（一八九九）、京沪（一九〇三）及沪杭甬（一九〇七）七线，这些铁路的机厂，亦属国营，如北宁路有皇姑屯、山海关及唐山三机厂，平汉路有长辛店一厂，平绥有南口一厂，津浦有西沽，济南有浦镇三厂，胶济有四方一厂，京沪有吴淞一厂，沪杭甬有闸口一厂。铁路机厂、造币厂、兵工厂、织呢厂及一些印刷厂，仍均为国营，但民国成立以后的十余年间，国营事业之创设，都告停顿了。

南京国民政府成立以后，国营工业又复抬头。军事委员会的资源委员会兴办国防或基本工业如煤铁、机械、电气及化学等；国府直辖之建设委员会主办电气工业及煤矿；而行政院的实业部亦拟举办铜铁、机器、细砂及硫酸铔等厂。抗战以后，以上三机关合并为经济部，国营的工矿事业，更为扩展。以资委会而言，它所管辖的厂矿由战前的十六个单位，增加到一百零五个单位。它所涉及的范围包括工矿电三类。工业部门包括了冶炼、机械、电工、化工四十个单位；矿业部门包括了采勘、煤、石油、金属及特种矿产四十二个单位；电业部门包括了二十二个单位，各事业的分厂分矿尚不在内。工人人数达十七万人；资本额几二倍于后方民营事业之总和。除此之外，国营事业还有军政部兵工署直辖下的若干兵工制造厂，航空委员会直辖下的若干与飞机事业有关的工厂；军政部军需署直辖的纺织、被服及制革工厂亦达二十余个单位；交通部公路总局附属的各运输机关汽车修理厂、炼油厂、钾制造厂及酒精厂等，亦有四十余个单位。十余年来，国营事业的确是比民国初年热闹得多了。铁路方面，一九二九年至一九三二年新修竣的铁路达三四六公里，其中有陇海路数段、杭江路一段、粤汉路一段。一九三六年粤汉路全线通车，浙赣铁路南玉段落成；淮南铁路长二一五公里亦落成；陇海路展至宝鸡；同蒲铁路除太原至原平一段外，已完成；江南铁路由南京至芜湖段与苏嘉铁路亦于是年落成。抗战时期，建筑了湘桂及黔桂铁路。可惜这些铁路都在敌军铁骑摧毁之下破坏得一干二净了。还有宝天等路，或未完工，或未通车。

省营企业以矿业及电业较为普遍。光绪二十一年（一八九六）湖南设立官矿局；三十一年江西赣州举办铜矿。宣统元年直隶开办鸡鸣山煤矿，二年湖南官矿局以新法采水口山铅锌。这是省营企业的重要的。入民国后，未停办而仍能获利的矿，只有湖南一处。民十八年以后，各省官营的矿业，为数渐多。最著者有河南的中原煤矿、陕西延长油矿、湖南的水口山铅锌矿及黑铅炼厂，湖北的象鼻山铁矿，河北的临时煤矿，广西的富贺钟锡矿，贵州的铜仁县大峒喇汞砂厂，安徽的烈山煤矿及辽宁之黑山县八道壕官矿等。除河南之中原煤矿及湖南水口山锌矿与黑铅炼厂略能赢利外，多数亏累不振，顶多是勉能支持而已。电业方面，据民国廿一年统计，省营的只有八处。

抗战时期，省营企业更形发展。以前的省营企业，多是投资于一特定的事业，如某一地区的矿山或某一城市的电气，都是单独经营的。抗战以来的省营企业可就不同了。抗战以来的省营企业是采取综合性的。它们不但采矿发电，而且伸其势力于商业运输。例如福建企业公司所办事业，从重工业到手工工场，包括铁工厂、电力厂、电气材料制造厂，木器材料厂以及日用必需品的面粉、纺织、皮革、酒精等工厂。民国三十二年又合并贸易及制药两公司，资本额达五千万元。贵州企业公司创于民国二十八年，资本原为六百万元，至三十二年已增至三千万元，附属工厂已达二十九个单位。江西省营工业合计五十个工厂，其中拥有资本三千万元的江西兴业公司占了二十四个厂。湖南实业特种股份公司设于民国三十二年，资本六万万元，工矿单位有二十二个。甘肃的水利林牧公司，资本由一千万元增至三十二年底的三千万元。四川省政府投资实营的公司厂社，截至三十二年十一月底，已达二十七个单位，其中以川康兴业公司一个单位而言，它投资于各项事业的资金，在三十一年至三十二年两年中，就达六千七百余万元。广西企业公司股本五千万元，所属厂矿农场共有十四个单位。云南省营企业有二个系统，云南省企业局的附属企业，单位有二十四个；云南经济委员会的附属企业，单位有五十三个。前者资金约二万万二千余万元；后者资金约三万万五千余万元。此外，广东有广东企业公司；湖北有湖北企业公司，安徽有皖南企业公司，陕西有陕西实业公司，都是省营的企业，都是包括原料、燃料及动力各部门的综合组织。

市营企业，除电业外，尚有自来水厂，但多渗入当地私人资本，故不多论。

公营企业在国民经济中所占的比重是很大的。据有关机关在民国三十三年的调查，若将兵工及军需工业除外，中央政府、省政府、国家银行及战区司令长官部所经营的公营工业，实颇可观。冶炼业中公有资本超过民营资本百分之五十强；炼油业中公有资本超过私人资本百分之十三；棉纺业中公有资本超过私人资本百分之二十三。其他各部门，机器业中公有资本占民营资本百分之七十；电器业中公有资本占民营资本百分之六十二；造纸业中公有资本占民营资本百分之七十二；水泥业中公有资本占民营资本百分之三十七。至于酸碱业中的比重，公营资本虽为民营资本的八分之一，但化学工业的重镇实际上是在国家资本手中，某经营化工的兵工厂其规模超过民营化学工厂的总和而有余，但兵工生产是没有计算在这个统计之内的。若果通盘计算起来，公营资本在后方，是高高地压倒私人资本的。就是退一步说，某个部门公营资本的总额纵然少于民营的，但公营资本比较集中，它的一个单位比较民营工业总是雄厚得多。据三十二年有关方面的调查，以四川为例，“民营工厂每厂平均资本仅及二七九四八〇元，公营工厂则平均达四五五九八五三元，约大于民营工厂十六倍，民营工厂平均动力为二九点八二匹马力，而公营工厂则达一一二点五一匹马力，约大于民营工厂的四倍。”资力与生产规模相差的情形如此，双方力量的比较，自不可同日而语了。

在扶植国家资本的口号之下，公营经济的势力，这七八年来，的确在扩大，但其扩大的方式却在变化。抗战初期，国家资本多偏重于创设新的厂矿，民三十以后，则趋向于收买民营厂矿，或以投资方式，使民营工厂转成国营企业。像规模较大的“中国电力制钢厂”，“滇北铜厂”，“明良煤矿公司”，“中央造纸厂”，都属于这一类，就是规模差一点的上川公司的酒精厂与建国机器厂，亦被国家资本所收买而变更其姿态了。

论资本，论规模，公营资本的工矿，是凌驾民营资本之上的，但在成绩上，在生产效率上，在对于市场的供应上，公营资本往往不及民营工厂。以供应部队作战的兵工及军需工业，其在市场上没有表现，理所当然。可惜的是，许多可以供应市场的厂矿，其效率亦多落在民营工业之后，其所以如此之原因，约可分为三点：

国营工业失败的主要原因，是在官僚政治之下，国营事业实际上变成腐化的衙门。在以前，汉冶萍公司，湖北象鼻山铁矿等等的失败，都吃着官僚主义的大亏。民国初年调查过汉冶萍公司的人对该公司所下的断语是："公司中人，率皆闲散官绅、夤缘张之洞盛宣怀而来，希图一己之分肥，与公司无利害之关系"。这些"职员技师，类无学识经验，暗中摸索，即实力经营，已不免多所贻误，况再加有心蒙混，任意开销，其流弊故不可胜纪。"民国四年成立的象鼻山铁矿，只是一个矿厂而已。但在这个矿厂上，建立着一个湖北官矿公署，这个公署，"除了督办之外，有一位处长，两位会办，公署之下，共分八股，每股设一主任，股员二人至四人，助理员每股二三人，此外还有监印员二人，承启官三人，调查员三十人，差遣员八人，卫队二十人，什役三十人。象鼻山的矿长，除领了矿长办事处经费九百八十八元外，尚在公署领车马费三百元。总括起来，公署每月薪水开支约八千八百余元，连活动支款，约近万元"。在民国初年，每月万元的开销，要等于现在的几千万元。以一个小小的铁矿而负担如此沉重的开支，叫它如何不倒下去呢？视办厂如作官；把厂矿作衙门，就是国营事业所以失败的主要原因。任职的人，从上到下，只在于肥己营私，叫他们有什么好的计划？有什么良善的管理？可惜的是这些使汉冶萍和象鼻山塌台的原因，直到今天，仍在发展，仍在猖獗！

在客观方面，民国成立以后，年年在内战。炮火所至，厂矿为墟；没有受到摧毁的，则因捐税军饷，层出不穷。甚至于厂矿食米，常被征作军粮；厂矿工人，常被拉作兵伕，在这种情形之下，生产自然不能好好进行了。抗战以后的国营事业，在客观上亦有若干困难，沿海沿江各大城市的损失，特别是三十三年湘桂战事的失利，使许多国营事业遭受损失。太平洋战争初期，因缅滇路之被切断，许多厂矿所需的器材遽告断绝，亦给与扩展及新设之国营事业以打击。这都是不能忽视的。不过，客观的困难还不是战时国营事业的致命伤。它的致命伤还是主观的因素。

战时国营工业主观的病因，还是在于官僚主义的作祟。人员多而效率低，更不要提到舞弊营私了。另一方面，殖民地的买办路线，亦是在摧毁我们的国营工业的。在这里，我们暂且不谈外国资本在公营事业中占着什么重要的地位，只是谈谈一些完全握在自己手中的企业。在美国对华实施租借法案而后，后方某些人，认为自己生产物资，成本太贵，不如依靠美国的供给，反可得又“便宜”又漂亮的武器。这种主张发展的结果，不但重武器要依靠美国，轻武器亦要依靠美国；不但军火要依靠美国，就是布匹亦要依靠美国了。这种主张，这种路线，使许许多多可以增加战时物资供给的厂矿，特别是军事工业，停顿下来了，机器在那儿作自然的消耗；工人在那儿半饿半饱的做着半工或失业，而后方及前线则在遭受着物资缺乏的恐慌。到了三十三年冬天，纳尔逊先生来华考查之后，才说服这种主张，认为中国后方战时生产还有百分之七十的能力未有发挥。于是成立战时生产局以推进生产。不过，战时生产局的工作着重于消极的救济，定货数量很有限，许多厂矿还未能把车轮完全动起来，依靠美国供应物资的路线，在实际上仍然占着主要的地位。

省营企业的开支很大，亦仍是被官僚主义所笼罩着。可是它们一般都能获利。这主要是它们多以“以商养工”作为经营的原则，它们的实际业务中心不在工矿而在商囤，其获利来源显然是商业利润而非工业利润。同时，各省企业公司多与该省之省银行或国家四行有密切关系。故其资金运用又较一般民营企业为灵活。无论透支、抵押及其他借款，皆居优越地位。且因省营关系，各省营企业在当地的运输与税制下，亦得到民营企业所得不到的便利。不过，在币值日跌与社会购买力日益降低的情形之下，各省企业公司的繁荣是不能持久的。沦为敌区的地方固不用说，那些未被敌骑所践踏的区域，如贵州企业公司在三十二年起，就感觉到困难了。

公营工业不管是国营亦好，省营亦好，如果它们是在官僚主义的统治之下，则无论规模多么宏大，资金多么雄厚，结果是不能在国民经济中发生积极的作用的，不但不能发生积极的作用，而且糟蹋了资金，设备和人力，而且更便利于官僚资本的膨胀。毕敏先生在其《国营事业与民营事业的关系》一文中说：

还有一种官办的方式，不是明文的由一个

长官主持重要事业，但事实上由一个或几个高级官员把持大权，各种重要事业的公司，都须由他们加入股份，滥占董监，任用私人，方能成功，对于他们未拿住的公司，或是明文禁止营业，或是暗中苛刻对待，迫其失败。……而且……要人们的公司，往往托名统制，大胆的对于营业的人，规定种种取缔束缚的办法，甚或利用国家政府的大宗资金，加入公司股本；而由少数特殊官员自居为最大股东，强取大权（见《新经济》三卷二期，二十八年七月出版）。

欲使公营企业能够实实在在的生产，能够不断的提高其生产效率，就必须拔除官僚主义的根源。唯一的办法，就是实行民主政治。反观新民主主义下的公营经济，就可更清楚的明白这一点。现在实施新民主主义的地区，原来是很贫瘠的，但经过几年苦斗的结果，焕然一新了。许多过去没有的企业，如纺织、造纸、被服、农具及制药厂，都设立起来了，而且天天在提高生产量，在减低生产成本。农业方面，机关部队及学校都是起来开荒增产的。公营的农工业越发展，则人民的负担亦就越减轻。这与官僚政治下的与民争利的行为，是大相径庭的。而因为执行公私兼顾的方针，提高了公营事业中生产者的情绪与自动性，这又为官僚政治下的公营事业所梦想不到的！

只有新民主主义才能使公营企业在国民经济中发挥其应有的积极的作用！

八　中国经济结构的特点

前面所述的六种经济关系，交织成今天整个中国的国民经济。如果从联系的见地来观察，则我们可发见下列几个特点：

第一是发展的不平衡性。中国经济的不平衡性是极其显然的。在抗战以前，早就呈现着：金融与商业之发达，远远地超过了民族产业；外国资本压倒了中国本国的资本，特别是在工矿业中压倒了民族资本。民族资本只能在纺织、火柴及面粉等轻工业，稍稍有点作为；而冶炼与机械工业则微弱得无法形容。在地区的分配上，亦是极其不平衡的。上海的工商业，在数量方面，在资金方面，在对外贸易方面，占了全国总数的一大半；沿海沿江的其他城市，虽有一些工商业与银行，但比起上海，是望尘莫及的，至于西南腹地各省，其贫弱之程度，更不用说了。抗战以后，日本强盗摧毁了沿海沿江一带的纺织、面粉、火柴及碱酸等民族工业；摧毁了英美在东南各省的经济力量，特别是太平洋战争之后，港沪沦陷，英美在沦陷区的权益更是一扫而空了。东南沦陷区成为日寇独占的世界。但在后方，日寇的权益被否定了，新式工业有着若干的发展；英美的权益一般是保持的，而美国对华的经济关系，且有日益密切之势。敌后解放区与陕北的经济，原来虽很菲薄，敌后解放区且常受到敌人“三光政策”的洗劫，但因当地军民的努力，所以在农业与手工业生产上，都有可以惊异的成绩。

如果从各种经济关系的内容而论，不平衡发展的状况，是更其明显的。在私人资本主义方面，战前较大的民族资本有一部分是没落了，荣宗敬系的申新纱厂与福新茂新面粉厂就是例子。刘鸿生吴蕴初诸氏在沿海一带原来的企业亦是被敌人摧毁得颇为干净的。现在在后方的厂矿，多半是“劫后余生”，在规模上，相差实在太远了。但国家资本与官僚资本则在战时急速的发展起来。特别是官僚资本，它们垄断商业金融与工矿，囤积居奇，无所不用其极。它们越来越成为操纵国民经济的特殊形态的独占资本。民族资本与官僚资本是明显地呈现着不平衡发展的。在地主经济方面，敌后解放区的封建剥削是相当减轻了的，主佃关系是广泛地加以合理的调整的，但沦陷区的地主，多在敌寇的压榨之下破产了，而后方的地主，则因加租加息与囤积居奇的原故，大发其国难财，成为与官僚资本媲美的红角色。其他如后方手工业在抗战初期，曾有一个时期颇为发达，但自廿九年物价飞涨以后，就渐渐在走着下坡路；工业合作社亦在萌芽时遭受冰雹的打击，反之，解放区的手工业与合作社则因环境的顺利而不断的发展起来，与后方恰成对照。

造成这种不平衡发展的情况，固以殖民地性半封建性为最基本的原因，但财政经济政策与政治环境的作用是极其重要的。健全的政治，有促进生产的机能，有打退敌寇保卫产业的机能，反之，如果敌寇的进攻不能使之停止，如果有人能够利用其资力权力去从事囤积，如果生产事业处处受到障碍，如果财政不照顾经济反而以经济为牺牲，如果管理某一事业的人不能廉洁自好，那末，生产是没法发展的，经济的不平衡发展自然会更加利害了。除此之外，国内战况与国际政局亦是与此有关的。沿海沿江甚至湘桂的经济据点之丧失，是由于敌进我退；越南与缅甸之沦入敌手，梗塞了后方的国际运输，促进了游资的活动与物价的飞涨。这都是与战时经济之不平衡发展息息相关的。

第二，从各种经济关系的对比说来，中小生产在中国是占着优势的。我们很明白殖民地半殖民地的中国，经济命脉是握在帝国主义列强手中的。帝国主义列强在中国的工矿业是强大而集中的。战前开滦煤矿局的产量几乎超过战时川康、滇黔、湘赣、陕甘豫四区二十四个煤矿的总产量之一倍。以轻工业而论，战前日纱厂平均每厂资本二万万元，英纱厂五百万元，而中国纱厂平均每厂只有一百五十余万元而已，以纱锭来说，日纱厂每个纱锭值六百八十元，而华商纱厂每锭只有五十元。二十支纱每万锭，日厂只需工人二百四十人，而华厂则需三百五十至七百五十人，资本的有机构成的高低，证明外资是集中的，外资越集中，则其控制中国经济的力量亦就更利害。社会经济发展史上写得很明白，大宗生产是远比小宗生产为有利的。帝国主义列强之所以能把中国夷为殖民地半殖民地，就是因为它们以大宗生产的商品来冲入中国的市场，就是因为它们以高度的资本有机构成来建立其在华的轻重工业。要使中国现代化，建立巨型的新式工矿业，显然是一件十分急切的事情。

不过，行远必自迩，登高必自卑，要建立巨型的新式工矿事业，是不能忽视我们今天的实际状况。今天的实际情形，中国的国民经济，是以中小生产占优势的。在农业中，细小经营占着绝对的优势。无论那一省，中农贫农的人数多而所占有的田地则很少，地主们拥有大量的土地，是无可置疑的事实，但他们是分散地租给佃户耕作的，分散出租之后，佃户的耕地便变成很细小了。前面我们曾经提到："在德国的巴登，小农田很为普遍，每家农田的平均面积是三.六公顷，日本最贫困农民的农田面积是〇点四九公顷，但在江苏无锡所调查的七百户贫农，他们的农田的平均面积，只有零点二九公顷；河北保定的八百七十家贫农之中，每家农田的平均面积有零点五三公顷，即以所有农民的农田混合计算，无锡的农家平均只有零点四二公顷，保定农家平均不过一点零六顷而已。”这是抗战以前的情形。这种情形继续不断地在发展着。富农、中农及贫农的经营是越来越加缩小了。工业方面，“中国是一个手工业占优势的国家”。“全中国的城市——西自四川东到福建；南自广西北至吉林——差不多到处散布着小的皮坊、烛坊、炼油坊、糖厂、造纸厂，有时它们甚至还用机器。此外，还应当指出许多小的煤矿、玻璃厂、火油厂以及适应新的广大需要而制造贱价商品的工厂——如牙刷、鞋帽、文具等。在中国各地的棉花区还散布着轧棉厂，有的在小的工厂工作，有的在乡村中用手摇的机器轧棉。在丝茶区域，有小规模的缫丝厂和曝茶厂”（见苏联卡赞宁的《中国经济地理》中译第二二一页）。机器工业的发展，无疑会给与旧式的手工业以打击；但是，贫困而广大的中国，手工业是不会一下子就完全覆灭的。故卡赞宁不得不接着说：

> 大机器工业与行将破产的小生产者的手工业之间的斗争，在各部门，都带着不平衡的性质。譬如在棉纱工厂方面已经是战胜手工纺纱工业了，但在织造方面，却还很厉害的落后于家庭的和手工的织造工业。在目前的中国，织布用的棉纱还只占百分之六，但百分之七十五的棉织品却是在手工业和旧式的工厂生产的。同时，在缫丝和丝织方面，亦是如此。缫丝业虽已打倒了手工业的缫丝厂，但织丝方面大部分却还是落于手工业之后。此外，地毯工业亦是这样，绒线是工厂的织造品而制造毯子却是用手工的（前揭书第二二二页）。

在抗战以前，手工业是残存着；抗战爆发以后，手工业尝有一个时期的发展。四川的棉纱，手摇机的产量占了后方供给总量的四分之一。“全川手工织布机约二万台，其中璧山占一万台，重庆六千台，但重庆一地即产土布五万余匹，后方总产量每年九百万匹，机布四百万匹土布五百万匹”（卅三年三月四日《大公报》），织布量，手工业且超过机制工业了。四川土法炼成的灰口铁，在一个时期，几成为炼钢的钢材的重要来源。这些手摇机，这些炼铁的土炉，是疏疏落落地散在后方的农村和小城镇之中的。边区与敌后解放区为回答敌伪的封锁，更不遗余力的提倡各种手工业。妇纺运动震撼了每一个村落，把千千万万的农妇卷入纺织的怒潮中。其他如炼铁炼钢以至制造军火，亦在小规模的手工业中进行，要动员一切力量起来增产，手工业是不能忽视的。

就以新式工业而论，中国的工业规模是很可怜的。据刘大钧先生主持之中国经济统计研究所在民国二十二年所调查，上海十二种主要工业底原动力以棉纺工业为最多，平均每厂有动力设备二千一百三十三匹马力；面粉业次之，平均每厂有八百一十六匹马力；最少的翻砂业平均每厂为九.七匹马力。这种情形，如果与英美相比，实在不可同日而语，但战时后方的工业，其规模之细小，尤有甚于此者。据沈经农先生的统计，纺织工业平均每厂为三二八点四匹马力，约占战前每厂平均动力百分之十五；饮食品业平均为六四点六匹马力，约占战前面粉业每厂动力百分之七；化学工业（现在以重工业较多）平均为五一匹马力，约当战前每厂（战前以轻工业较多）百分之八十二（见贵州企业季刊一卷二期二一页）。由此可见：中国现代工业亦是以中小生产占优势的。

在前述六种经济关系中，除了外国资本与国家资本在工矿方面有较大的规模之外，其他如地主经济，在土地所有权上虽然集中，但使用权却分散地租佃出去；私经济的资本主义，在工矿方面，亦是以小厂占着多数，而散布在农村与城市的小规模商品生产者，更是数不清的。谁要是忽视中小生产占优势的事实，谁要是忽视这些小生产的分散而不集中的事实，那么，他一定会在铁一般的事实之前碰壁！

第三是这些经济关系之间的矛盾性。最明显的是列强在华的殖民地经济，特别是日本强盗的独占与中国的国民经济的矛盾。日本强盗在战前进行“工业日本与农业中国”的活动，“七七”以后，它又进一步来洗劫我国，什么“三光”政策，什么“开发会社”，其目的都在夷中国为日本的独占的殖民地。中日间的这种民族矛盾，是绝对不能调和的。日本强盗的侵略，不但把一般帝国主义列强与中国的民族矛盾，变为特别突出特别尖锐化的日本强盗与中华民族的矛盾，而且构成了日本强盗与英美列强在远东的矛盾，太平洋战争以后，这个矛盾更进一步的展开了。上海和香港的英美企业，全部被日寇所劫持。

从私经济的资本主义来说，买办资本官僚资本的肥壮，是与整个国民经济相矛盾的。买办资本官僚资本之所以能肥壮，完全是以帝国主义列强之加紧对华侵略为前提的。帝国主义列强在吸取中华民族的血液，而买办资本官僚资本则在掇拾其剩饭残羹。这次抗战，亲日的买办资本官僚资本公开作汉奸去了。金城银行的周作民就是汉奸资本的代表。除此之外，还有某些人在利用抗战大发其国难财的。他们利用其特殊的资力与权力，从事囤积操纵，破坏正常的工商金融。这种行为是与抗战的利益矛盾的。其在农村，后方的地主不断地在加息加租加押金，不断地在转移田赋、征实征借及种种摊派捐税于农民，增加了农民的负担，恶化了农民的生活。这亦正与抗战的利益相矛盾的。

其在工业，战时后方的民族工矿业，是遭受银行资本与商业资本之打击的；但同时，沉重的税率与管制专卖的政策，亦是极不利于他们的。说明白一点，这不但是国家资本与民营工业之间有矛盾，而且在财政政策与经济政策之间有矛盾。片面的发展国家资本，就忽视了对于私人工矿之扶植；财政政策超压经济政策的结果，幼稚的生产事业就会遭受沉重的租税的压迫。“资产增值”问题之所以不能得到合理的解决，并不是偶然的。从工业本身来说，民族资本在这个囤积居奇的浓雾中被同化了。有不少厂家从生产中提出一部分资本去组织商号，囤积其所生产的商品；有不少工厂甚至于空挂工厂的招牌，空着烟囱不出烟，而以其资金进行原料或成品的囤积。工业资本朝向商业资本转化了，生产怎会提高呢？他们的处境诚然困难，但他们不敢正视事实，不敢迎击困难，反而在困难之前低头了，反而在减工关门以至刻薄工人方面转念头，这不是自杀的办法吗？

这些经济关系的矛盾，贯穿着民族的矛盾，亦贯穿着社会的矛盾。在抗战时期，经济矛盾亦以日本强盗的殖民地经济与中国国民经济的矛盾，作为主导的矛盾。那是很明白的！

分析了各种经济关系的特点之后，我们就应该进而研究中国经济应走着什么道路了，应该研究交织成今天中国经济的这些因素，应该去掉那些，应该削弱那些，应该发展那些了。这是下一章所欲讨论的。

第三章　中国经济的道路

一　我们要走什么路？

如果把眼光射在全世界上，如果把中国经济的机构作一全面的检讨，则摆在我们前面的道路可以归纳为四条：第一条是鸦片战争以来所走的那条老路，这是一条沉沦的道路，中华民族为了跳出这条路，不知流了多少血泪，牺牲了若干生命，现在局面变了，但还有不少人企图使用种种方法去苟延这条道路的寿命。这是不能不使人警惕的。第二条是欧美旧民主主义的道路，这是少数人独占了国家的财富而绝大多数人则陷于失业贫困的一种制度。有不少人是在醉心欧美的这套旧办法的，这亦就不能不使人来看一看了。第三条是新民主主义的道路。这是解放区已开始实行的。第四是最新式的社会主义的道路。社会主义的优越性，充分地从苏联的繁荣中可以看出来，要彻底解决社会经济问题，要彻底消灭人与人间剥削，只有走这条路，但是，中国能否马上走这条路呢？这亦是值得我们研究的。

这四条路，都是现成地摆在我们面前，都需要我们去选择。在选择的时候，一面要研究每一种制度的利弊；一面要照顾到中国本身的条件。其他如国际环境，亦是必须估计在里面的。关于社会经济制度的利弊，这是从制度的本身而言的，我们将在下面分析，此地可以不赘。关于中国本身的条件，不但要注意我们的经济实况，而且要注意到阶级力量对比的变化，和政治大局的趋向。关于国际环境，不但要注意到这次世界大战后国际资本主义的趋势，而且亦要把国际政治的动向打算在内。这样去进行分析和比较，才可使我们的看法不至于不合实际。

下面，我们就依次来研究刚才所说的四条道路，看看那一条是适合于今天的中国。

二　不能走回头路

半殖民地半封建的道路，是一条死路。这条路，一如前面所叙述的，不知牺牲了中国多少人民的血汗和生命。除了帝国主义，除了掇拾帝国主义的残羹剩饭的买办阶级和封建势力，谁都是反对这条道路的。尽管这些帝国主义及其爪牙想把时代拉回头去，但，历史是不会重演的。因为在客观上，这条路没法走下去；而主观上，中国人民坚决地不许走回头路。

根据本书第一章与第二章的论述，中国的经济，自鸦片战争以后，更是每况愈下。封建势力因为帝国主义的扶持而更加强其对人民的剥削；帝国主义则掌握了中国的财政经济的命脉。中国的农民在沉重的掠夺之下，一天比一天的更加贫困；中国的工人在帝国主义的直接鞭笞与带封建性的中国企业的咀吸之下，饱尝了印度朝鲜的工人的惨况；中国的手工业者，在苛捐什税的榨取与外国商品的打击之下，一天比一天的更加破产了。就是中国的工业资产阶级，亦在外资的压迫之下，喘不过气来。帝国主义与封建势力交相煎迫的中国，是一个充满着天灾人祸，民不聊生的中国，是一个普遍而深入的农村破产城市萧条的中国。贫困、失业、破产、饥饿、疾病、死亡就是这么一个国度的内容。这种情形，又引起帝国主义列强，特别是日本强盗的进攻，于是半殖民地又沉沦为殖民地，真是如水益深如火益热了。除非中国人民都是伈伈眈眈，否则这种情形是绝对不会继续下去的！

从太平天国运动起，中国人民就从事于推翻封建势力与外国势力的斗争，而这一次的抗战，是近百年来最伟大的一次民族解放战争。经过八年来的苦斗与牺牲，胜利是已经获得了。推翻日本强盗在华的统治，就等于击碎了这一条锁在中国人民身上最沉重的一条链子！而事实上，我们在敌后的解放区，早就把日本强盗的统治，完全推翻了。截至民国三十四年春天，解放区的面积已达九十万六千平方公里，人口超过九千五百五十万了。这些解放区，否定了“七七事变”以后（或“九一八”事变后）的殖民地经济；亦否定了较久以前的半殖民地经济。不但如此，由于减租减息与交租交息的实行，地主的所有权虽然保留，封建剥削是大大减低了；农民的生活，在减租减息之后，又经过农业合作的推动，大大的改善了。在人民翻了身的地方，在帝国主义的侵略已废除，封建剥削已减轻的地方，欲从事复辟，是不容易的。历史上，曾经有许许多多以流血去镇压人民的惨剧，但在今天，国际的环境已经不同了；国内社会力量的对比已经起了变化了。谁要想当镇压太平天国的汉奸刽子手曾国藩，谁只有在时代的巨轮之下辗毙。

从全国的范围来说，中国的政治经济，的确并不完全走着上升的直线。民国三十二年一月，英美在废除在华特权之后分别与中国签订新约。在政治军事上，中英中美新约的确解除了百年来加在中华民族身上的桎梏，不过，经济方面通商口岸设厂权与采矿权等，尚未提到，而关于财产部分的某些有利于单方的权利，还在法律上给了保障。中国与英美间的经济国力，是不能等量齐观的。这种情形，使人们担心：中国经济将来会成为某些国家的附庸。其在后方，因为物价的激刺，因为征实征借的重负，地主对农民的剥削，不断地在加重，押租、地租及利息等等，无不扶摇直上。而买办与封建混合的官僚资本之活跃，更是炙手可热，这种情形，使人们担心：中国某些地区的封建剥削是否会深刻地继续下去。

这是民族解放运动中的逆流，逆流毕竟是逆流，它是没法“逆”下去的。中国的人民必定消灭日本强盗，必定粉碎日本强盗加在中国身上的经济锁链；中国的人民必定要求调整中国与友邦的经济关系，必定设法利用外资的时候，不致再蹈“太阿倒持”的覆辙；中国的人民必定要求减轻封建剥削，反对任何口惠而实不至的诺言。中国人民是觉醒了，这不是任何镇压与欺骗所能阻止的。

在客观上，半封建半殖民地的经济，只有使中国的国民经济，彻底的破产，只有使中国的广大民众，过着牛马奴隶的生活，此路是走不通的！而在主观上，中国人民绝不准许这种情形继续下去。自然，这不是一个愿望的问题。中国人民的有组织的力量，与倒退的力量的对比，已经起了极大的变化。中国民族解放的国际国内的环境，又是历史上未尝有过的空前的有利。因此，我们可以肯定的说：这条回头路是一定走不成功的呀！

三　欧美资本主义的旧路呢?

那末，是不是能走欧美资产阶级走过的老路呢？我们认为这亦是不可能的。

因为：

第一，所谓走欧美资产阶级的老路，就是要建立一个纯粹自由资产阶级旧式民主主义专政的国家。在这个国家里，农民和其他独立生产者，不断地失去其生产手段而沦为无产阶级；许许多多的中小资本家，在竞争的大海中，亦被少数的大资本家所吞并而没下去，广大的无产阶级，则在工厂中受到尽情的剥削，工作时间的延长，工作条件的恶劣，货币工资的相对的减少，都是在业工人的苦痛；至于那些被抛在十字街头的产业后备军的痛苦，更是不堪言状的了。欧美的资本主义，是走着这条道路的。中国如果要走这条路，必须具备着下列二个条件。这就是中国的自由资产阶级必须坚强有力；同时，国际方面必须具有这种有利于建立旧式资本主义的环境。但，可惜得很，这些条件都是很缺乏的。

先说第一方面吧，从十九世纪末叶起，中国的现代工业，即有中国人的投资，但中国的民族资本历来就是很薄弱的。帝国主义列强都不许它发展。在国内的外国资本，垄断了中国煤矿铁矿以至轻工业的纺织卷烟，在国外的外国商品，又挟其排山倒海之势，窜过中国的关卡而进来倾销。从原料资金的供应，一直到贩卖市场的推销，完全握在外资手中。日本帝国主义更加强横，它打算一口吞下中国，欲使中国成为它的原料供应地和贩卖日货的大市场。因此，第一次世界大战之时，中国民族工业虽有一个时期的发展，以后便一年不如一年了。这一次的抗战，日本强盗又把东南沿海的民族工业，摧毁得相当彻底。七八十年的一点可怜的成就，可说是付诸东流了！目前日本强盗已垮台，它在中国沦陷区的经济掠夺机关，自可一扫而空，但是，那些在中国具有片面经济特权的国家（尤其美国），挟其强大的经济力量来与中国讲经济平等，那是很值得我们考虑的。其在国内，中国的自由资产阶级，基本上还没有掌握过政权。他们是受到大地主大银行家和买办阶级所打击的；他们不论在政治上也好，在经济上也好，都是显得非常软弱的。而同时，中国早已产生了一个觉悟了的，在中国政治舞台上表现了极其强大的，领导了广大的农民阶级、小资产阶级、知识分子及其他民主分子的中国无产阶级的政治组织。在这种情形之下，中国自由资产阶级欲依照欧美的旧道路，去建立一个剥削农民及其他独立生产者和尽情的无限制的剥削无产阶级的旧式的资本主义，显然是不可能的。

其次，让我们说第二方面吧！经过这一次的世界大战，国际资本主义将要受到若干的修正。最值得注意的是欧洲被解放的新兴国家的土地改革和英美的社会改良。兹分述于下：

土地改革应以波兰临时政府的措施作为代表。波兰临时政府的前身是波兰的民族解放委员会。一九四四年七月波兰民族解放委员会在其告波兰人民的宣言中，提出要着手进行大规模的土地改革。是年九月初，颁布土地改革法令，规定：除了教堂土地之外，所有超过一百公顷以上的土地，全部收为国有；一切属于波兰流亡政府的、德国人的、及被法庭判为叛国者及帮助德寇者的土地，一律充公；至于天主教及其他宗教团体的土地，则留待国会选成以后，再行决定。已充公的土地，分成不超过五公顷的单位，分配于无地或地少的农民和农业工人，领取土地的优先权则给予那些为波兰民主而战斗的士兵；土地被没收的大地主，亦可以领到五公顷的土地，但却不是他原先的土地，若是不要，每月可以领到相当于政府中第六级官吏的薪俸。农民可以向政府购买土地，须先付现款百分之十，其余在十年以内付清；以前本来无地的农民，头三年付现款，二十年内偿清余额。这法令于十月十日起施行，而十月十一日，波兰民族解放委员会又有“加速土地改革”的指令，并规定有十公顷以下的中农，亦可以领到土地，受到土地改革的利益的人，亦就更多了，波兰临时政府的群众基础，亦就更加扩大了。而为了更顺利的推行土地改革，波兰民族解放委员会改组农业部领导机关，设立省和区的土地改革专员，其任务是在当地议会的支持与参加之下，在最短的程序中，进行土地改革。在十月十日至十一月十日的一个月内，波兰解放区内已有三百六十五处的地产（占应分的总地产三分之一）已经分配给农民了。结果，四万农民及雇农就分得土地。至十二月初，单单别洛斯托克一省二百二十六处地产（共三万二千公顷），已有二〇六处（二万五千公顷）的土地分给农民了。在民族解放委员会改为临时政府的时候（十二月三十日），已经有三十万家农民分得土地。一九四五年三月中，波兰的赤洛比周报说：

> 波兰九百万贫农，在很短的时间内就变为丰衣足食的公民，这是波兰人民史中未有过的奇迹。

这实在是奇迹。在目下，欧洲解放国家中，波兰以外，民主的匈牙利亦进行着土地改革。一九四四年十二月二十一日匈牙利临时政府成立。过几天，农业部长那吉就宣布要实行土地改革，使土地给予匈牙利乡村千百万小农和贫农。一九四五年三月十七日，匈临时政府正式通过土地改革法，规定由国家建立基金，以分配土地给贫苦和无地的农民。这项基金将由没收的土地，根据法令所买的土地和属于国家的土地构成。一切战争罪犯，卖国贼和敌人的土地，不论财产大小，一概没收；凡超过五十七公顷的大地产，不论属于私人和教堂，将被全部处分；对于农民私有的大块土地，法令规定最高限度为一百四十公顷，但在反对德国及国内法西斯斗争中有特殊贡献的人，则原有主可享有一百七十公顷的土地。凡分得土地的人，将对国家付出等于其一年纯收益的二十倍的偿金，这偿金可用实物或现款交付，在十年至二十年中分批付出。这项改革将于本年四月至十月间实施完竣。随着法令的颁布，各乡村先后设立“需要土地的农民委员会”。土地改革的浪潮，广泛而深入地在匈牙利澎湃起来了。

东欧其他国家，如南斯拉夫、罗马尼亚、保加利亚、以至意大利，亦都先后实行这一改革。在具体办法上，在改革的程度上，各国虽不尽同，但基本上大家都是朝着耕者有其田的道路走的。耕者有其田的意义，在于彻底清除农村中的封建剥削，提高农民的生产兴趣与生产能力，使农民都能成为丰衣足食的独立生产者。而这一点，又正是城市资本主义工业发展的前提，因为农民的解放，使工业获得广大的国内市场。这是民主主义在经济方面的彻底的实施！

其在英美，经过二十余年的骚动、恐慌和二次大战的教训，这二国的开明的人士，亦都认为原封不动的照老样子，是不能把资本主义制度维持下去的。在这里，做得较好的，要以罗斯福及华莱士等所领导的新政了。

罗斯福的新政的主要内容，是取缔大银行的投机操纵，限制工业托辣斯的垄断控制，给与中小生产以发展的机会；同时，向富人征收重税，以救济人民的贫困；举办公共事业，相当地减少失业工人。脍炙人口的 T.V.A.（即单纳西流域管理局），就是国家计划的大工程之成功例子。T. V. A. 以政府的力量来管理一条河流，根据精密的科学技术和灵快的通讯，使整个河流的雨量和流量能迅速报导到管理中枢，复由中枢流至各闸，使每一段河流的流量，保持一定量的水准。这么一来，改进了航运，便利了灌溉，并产生了大量的电力。过去经常泛滥为灾的单纳西河，从此得到控制，并成为新兴的工业区，和农业生产的乐园了。这种工程，解决了许多农民的农作，解决许多人工的工作，并增进了美国的庞大的国富！

罗斯福不但做了许许多多有利于人民的事业，并且提出了一个经济改革的纲领来。这就是一九四四年一月间他致国会咨文中所提到的“经济的人权宣言”。他说：

> 吾人业已认明一项事实，即如无经济之安全与独立，则个人自由，决难存在。贫穷者并非自由人。

这是很正确的，没有经济上的平等，就无所谓政治上的平等。因此，他进而指出这种经济安全与独立的内容：

> 在国内商店，农田或矿场，获得既有益且有利之权；有赚得足够之生活费以供衣食娱乐之权；每一农夫生产所得，并使其本人及家属获得适当生活之权；每一商人，不论大小，有免受国内外不公竞争，而得以自由交易之权；每一家庭，有获得适当居室之权；人民有获得适当诊疗及发展享受健康机会之权，免受经济恐惧、老年、疾病、意外及失业，而有充分保障之权。此各种权利均所以产生安全者。待此

次战争胜利后，吾人必须准备迈进实现此各种权利，以达到人类快乐与幸福之新目标。

罗斯福的这个经济上的人权宣言，是照顾了各阶层的人民的，特别是中小生产和劳动者的利益。这种精神，分明与旧时那种扶植独占，扶植资本集中的路途，大大不同的。可惜的是，这位巨人在德国大崩溃之前夕，溘然长逝了！美国今天的当局，是否愿意承继罗斯福这种伟大的精神，是否愿意继续罗斯福所毕生奋斗的新政，是要待事实之回答的。但无论如何，罗斯福的这种方向，乃是美国人民大众的方向。他的新政，纵然有可能被中断；他的经济的人权宣言，纵然有可能被人束之高阁，但美国广大的民众，必定在他的感召与指示之下前进！他的主张，迟早必定会成为事实！这是可以断言的！

富于保守性的英国，亦着眼于战后的社会改良。一九四四年九月，英政府正式颁布了一个大体上采纳比维里琪（Sir W，Beveridge）的计划而略加修改的社会保险方案白皮书，并表示对于可能的最短期内，采行立法手续，成立一个社会保险部，负责执行计划中所规定的在战时便须实行的部分。这个白皮书的计划是全国性的，它根据比维里琪的报告，把全部人口分为六类：第一类是雇员；第二类是自有事业的工作人员；第三类是主妇（包括在家庭外工作者）；第四类是已达工作年龄而无职业者；第五类是未达工作年龄的儿童；第六类是超过工作年龄而退休者。为这六类人所分别规定的权利，包括失业津贴、疾病补助金、残废津贴、家庭津贴、退休金；此外，对于生产、死亡、寡妇、孤儿、职业训练亦有补助的规定。所有各种津贴，除家庭津贴一项外，都是要缴费的。据计算，失业津贴费用的三分之二，其他各种津贴的六分之五，是由缴纳而来的；不足之算，则由租税补足。故上列六类人中，经常纳费的，只限于前三类。这三类人经常缴纳之款，约达二万八千三百万镑，占实行全部计划每年总支出的一半弱；其他一大半就由政府拨款了。邱吉尔称这个社会保险计划的目的，是要把“国家强迫保险制度推广到社会各阶层，应用于自摇篮起至坟墓止的各种用途”。

英国这种大规模的社会保险计划，目的是在缓和英国的社会矛盾。它并没有丝毫动摇地主贵族与独占资本的经济特权，主要是用劳工及自由职业者自己的血汗钱，去保险自己的失业、疾病与退休。一九四五年秋间大选，邱吉尔之所以被赶下台，主要就是因为在内政上，特别对于社会经济政策，不能获得人民之同意。

英美以外，新兴的法国，正在激烈地惩办那些通敌卖国的托辣斯独占资本。这些民族叛徒的财产是严格地被没收了的。在这种情形之下，过去操纵法国财政经济命脉的二百家金融寡头，几乎完全丧失其垄断操纵的能力了。没有通敌的独占资本，虽不能说完全没有，但经过这一番清洗，法国国民经济的面貌，必定会焕然一新！经济上的民主，必定逐步地在事实上呈现出来！

这些老牌的资本主义国家，为什么要加以修正，加以改良或缓和，这并不是这些国家的资产阶级的爱好摩登，而是痛苦的事实使他们不得不如此做。要减轻经济恐慌所引起的影响，不稍加改良是不行的；要缓和国内的社会斗争，不稍加改良是不行的；特别在这次战争中，没有依靠人民，没有动员人民，就没法取得胜利，而要依靠人民，要动员人民，就只有适当地改良他们的生活，或给与他们以一点保障。这就是说，过去那种尽情压榨，不顾劳工死活的道路是没法走下去了。

这是一个人民的世纪，德、日、意的独占资本金融寡头，和那些与法西斯侵略者勾结的投降国家的大托辣斯，是被人民判处死刑的。英美的资本主义正在设法修正，欧洲的被解放国家正在大踏步进行土地改革。这一切，证明旧式资本主义的旧道路是不能继续走下去的。在这个国际环境中，试问中国还能走着人家现在正在设法修正的旧道路么？何况中国的纯粹的自由资产阶级本身十分软弱？何况中国国内的社会力量已经起了极其明显的变化？

因此，我们可以肯定的说：中国经济建设的道路，必定不能走着欧美的旧道路。

四　社会主义呢？

中国今天不能走欧美资本主义的旧道路，那么，是不是可以走着社会主义的道路呢？我们的回答：这亦是不可能的。

很明白，只有实现了社会主义，才能消灭人与人间的剥削，才能消灭人类社会中的压迫，才能使人类真真的过着人的生活。社会主义的优越性，断非资本主义封建主义所能比拟的，而从全世界今天的情形来说，社会主义的力量正以排山倒海之势，向前迈进。毛泽东先生告诉我们：

> 共产主义是无产阶级的整个思想体系，同时又是一种新的社会制度。这种思想体系与社会制度，是区别于任何别的思想体系与任何别的社会制度的，是自有人类历史以来，最完全，最进步，最革命，最合理的。封建主义的思想体系与社会制度，是进了历史博物馆的东西了。资本主义的思想体系与社会制度，已有一部分进了博物馆（在苏联），其余的部分，也已“日落西山，气息奄奄，人命微浅，朝不虑夕”，快进博物馆了。惟独共产主义的思想体系与社会制度，正以排山倒海之势，雷霆万钧之力，磅礴于全世界，而保其美妙的青春。

在这次反法西斯侵略的大战中，在这次摧毁希特拉德国的血战中，苏联所以能成为主力军，就是社会主义优越性的表现。中国的广大的人民，是向往这一条道路的。但是，向往是一回事，能不能立即实行，又是一回事。向往是主观的愿望；而能否立即实行，则要看客观条件是否具备。两者是不能混为一谈的。

今天的中国，还未有实现社会主义的条件，这可从两方面来看：

第一，在中国的现阶段上，中国人民的任务还是反对民族压迫与封建压迫。自鸦片战争以来，资本帝国主义列强，就把中华民族踏在他们的铁蹄下。“九一八”以后，日本强盗用武力割去我国的东北四省；“七七事”变爆发了，敌寇一步进一步在我们的国土中盘据着。千千万万的同胞，在敌寇铁蹄之下饮泣；大片的锦绣河山，在敌寇铁蹄之下被践踏！民族压迫是尚未推翻的。在民族压迫尚未解除以前，除了汉奸卖国贼以外，我们必须团结各阶层的力量，必须照顾各阶层的利益。在这里，封建压迫是不能与日寇同样看待的。我们反对这种压迫，因为它会阻压广大农民对抗战建国的情绪与能力，但是，我们并不能采用急激的办法，并不能即刻推翻这种古旧的压迫，因为这样会引起地主阶级的反感，因而破坏民族团结。在战时是这样，在战后亦仍然持续着这种方向。只要在抗战中对民族有贡献，他就能够在战后获得他的适当的地位。在抗战建国这个巨大的过程中，既需要各阶级起来努力，因此完全否定封建制或资本主义制的所有权，来实行社会主义，那是不适合客观的状况的。

第二，要实行社会主义，必须有一定的社会经济条件。中国是一个产业落后的国家，战前重要的产业，完全握在帝国主义列强之手，民族工业是很脆弱的。抗战以来，民族工业的一点脆弱的基础，亦被打得七零八落了。不论解放区，不论大后方，分散的、小规模的农业及手工业生产，在数量上，仍是占着极大的势力的。当前的情况，需要我们去提高生产。不论农民亦好，手工业者也好，私人企业资本亦好，都是应该加以扶助的。要提高他们的生产能力与生产兴趣，就应当尽量减轻他们的负担，更谈不到否定他们的私有权。既然今天的任务是在提高生产，是在使各种生产规模逐步扩大，是在保障一切正当的私有财产，那么，否定私有财产权的社会主义，就不能在今天这个阶段实行起来了。

总而言之，“在中国的现阶段上，在中国人民的任务还是反对民族压迫与封建压迫，在中国社会经济的必要条件还不具备时，中国人民也不可能，因此就不应该企图实现社会主义的国家制度”。换句话说：我们虽以社会主义之实现为目标，但是，“现在的革命是第一步，将来要发展到第二步，发展到社会主义。中国亦只有进到社会主义时代，才是真正幸福的时代，但是现在还不是实行社会主义的时候。中国现在的革命任务是反帝反封建的任务。这个任务没有完成以前，社会主义是谈不到的。中国革命不能不做两步走，第一步是新民主主义；第二步才是社会主义，而且第一步的时间是相当的长，决不是一朝一夕所能成就的。我们不是空想家，我们不能离开当前的实际条件”（毛泽东先生）。

有人认为革命用不着分做两步走，在经济建设方面，亦可以在目前这个阶段，包含社会主义的设施于其中。这种说法，可以分为二类来考察。

第一种人，可以说是没有什么恶意的，他们完全从纯主观的想头出发。这种主观的想法是不合于事实的。如果说，现在是民主革命的阶段；将来是社会主义的阶段。两个革命阶段中，第一个为第二个的准备条件，而两个阶段必须衔接，不容许横插一个资产阶级专政的阶段。这是正确的。如果说，民主革命没有自己的一定任务，没有自己的一定时间，而可以把只能在另一个时间去完成的另一个任务，例如社会主义的任务，合并在民主主义任务上面去完成。这就是空想，就是纯主观的念头。这种观点，混淆了革命的步骤，降低对于当前任务的努力。对于中国的民族解放运动，对于中国的民主革命，是十分有害的！

另一种人，那是恶意的。他们打算以这种说法来打击科学的社会主义，来作为否定科学社会主义的存在的理由。在问题的本质上，这是一种不要革命的理论。中国自有科学的社会主义以来，中国革命的面目为之一新。数十年的历史，处处证明着：中国的民主革命，如果没有科学的社会主义来指导，是决不能成功的。因此，否定科学社会主义在中国的存在，就等于否定了中国的革命。但他们却硬说，有了三民主义就可以不要科学的社会主义。这完全是一种别具肺腑的说法。三民主义并不能包括科学的社会主义。第一，科学的社会主义于民主革命阶段之外，还有一个社会革命阶段，因此，于最低纲领之外，还有一个最高纲领，即实现社会主义制度的纲领；而前者则无。第二，两者的宇宙观和社会观是不相同的。因为这些特点，所以，科学社会主义在中国的存在，是谁也否定不了的。这些恶意的宣传家，不但在理论上，不能自圆其说，而且在实际上，铁一般的事实，已经把这些人们的胡说打得粉碎了。

一次革命论在表面上好像很轻快的样子，但实际上，却是有害的。恶意的宣传家是在否定革命，否定社会主义在中国的存在；纯粹主观的人们，则降低了人民对于当前的任务。在经济方面，他们的持论，同样的发生了有害的影响。试想想吧！否定了革命，还有什么经济建设之可言呢？干脆说一句，否定了社会主义在中国的前途，就是在理论上为半殖民地半封建的经济，或者为欧美资产阶级的旧道路，打一点基础罢了。可惜的是，半殖民地半封建经济是没法继续下去的；欧美资本主义的旧道路是没法在中国再重演一番的。

半殖民地半封建经济既然不能持续下去，欧美资本主义的旧道路既然不能在中国再演一番，而社会主义呢？则又因为实现它的必要条件，尚未具备，不能在这个阶段实行，那么，中国经济，将走着什么道路呢？

五　只有走新民主主义的道路

（一）问题的提出

中国经济，既不能回头地走着半殖民地半封建社会的道路，或者走着欧美的旧民主主义的道路；又未能走着最新式的社会主义的道路，那末，它将走着什么路呢？

我们的回答，是新的民主主义的道路。到这里，必定有人要反问我们，为什么中国经济必定要走新民主主义的道路呢？好，就让我们先来回答这个问题吧！

中国经济为什么要走着新民主主义的道路，可以从二方面来回答：一方面是从新民主主义以外的道路来看。这是从反面来回答这个问题的。我们已经在上面把这些方面说过了。我们已经从中国本身的条件，从国际政治经济的趋势，说明半殖民地半封建社会和欧美的旧民主主义之不适宜于中国了；我们亦已经从中国各方面的条件，来说明中国现阶段的经济，还未能走着社会主义的道路了。另一方面是从新民主主义本身去着眼。这是从正面来回答这个问题的。现在，我们所要讨论的，正是这一点。

为什么在现阶段要提出新民主主义？为什么现阶段的中国要建设新民主主义的经济？

第一，实现新民主主义是中华民族必须实现的历史任务。在政治上，所谓新民主主义，就是以全国绝对大多数人民为基础的统一战线的民主联盟的国家制度。这样的国家制度，乃是推翻外来的民族压迫和废止国内的封建主义的与法西斯主义的压迫之后，必然的结论。“这是一个真正适合中国人口中最广大成份的要求的国家制度。因为：第一，它取得了与可能取得数百万产业工人，数千万手工业工人与雇佣农民的同意；其次，也取得了与可能取得占中国人口百分之八十，即在四万万五千万人口中占了三万万六千万的农民阶级的同意；又其次亦取得了与可能取得广大的小资产阶级、自由资产阶级、开明士绅及其他爱国分子的同意”。（毛泽东先生）为什么？因为只有这种国家制度才能保障他们各方面的利益——政治上的利益以至经济上的利益等等。换言之，只有团结绝大多数的人民，才能推翻外来的民族压迫，和国内的封建的与法西斯的压迫，才能使中华民族翻身，才能建立一个独立自由的新中国。在这里，没有照顾绝大多数人民的利益是不行的；要照顾绝大多数人民的利益，就必须实现新民主主义的经济。

第二，新民主主义的经济，具有为半殖民地半封建经济与欧美旧民主主义经济所没有的优点。如前面所说，在半殖民地半封建的社会经济中，只有帝国主义列强、买办阶级、官僚资本和大地主阶级的利益，而没有一般平民的利益。在欧美旧式的民主主义社会中，只有自由资产阶级的利益，亦没有一般平民的利益。如果保留半殖民地半封建社会的经济，显然是不能团结广大人民起来反抗外来的民族压迫和国内的封建法西斯压迫的。如果走着欧美的旧民主主义的道路，显然亦是不能团结绝大多数人民起来推翻外来的民族压迫和国内的封建法西斯压迫的。新民主主义经济，照顾了工人农民的利益，亦照顾了小资产阶级、自由资产阶级和开明士绅的利益。只有这样，才能把中国绝大多数的人民动员起来，团结起来。

第三，在现阶段这种情况之下，只有新民主主义的经济，才能发展中国的生产，才能改变中国国民经济的面貌。半封建半殖民地的地位，使中国经济一天比一天的崩溃下去，失业、破产、穷困、死亡，就是它所带给中国的礼物。欧美旧式的民主主义的经济，只有造成少数资本家暴富，极大多数人赤贫的对立，只有招来了周期性的毁灭性的经济恐慌。这都是中国所不应走不能走的。新民主主义并不否定私有财产，但不准许独占垄断之存在。不准许少数人独占垄断，就保证了大多数人在经济上能够从事其所愿意的事业；不否定私有财产，就使广大的独立生产者与企业家，能够提高其生产兴趣与扩大其生产规模。更具体的说，只有新民主主义的经济，才能照顾各方面，它照顾了广大劳动人民的独立生产，又照顾了私人资本主义的新式企业；它照顾了国家资本的经济，又照顾了农业手工业的合作经济。因为以当前的情形而论，单靠国家资本是不能开发中国的富源的；

单靠私人资本的大企业亦是不能开发中国的富源的。而实际上，如果没有新民主主义的政治，就没法使国家资本不变成少数人舞弊营私误国殃民的工具；如果没有进行广泛而深入的土地改革，就没法使工农业的资本主义能够有迅速的发展。除此之外，新民主主义的经济，使广大劳动人民的个体经济，能尽量的发展，尽量的扩大生产规模；它又使这些分散的个体经济组织起来，组织成无数的合作社，经过合作社的组织，去提高他们的生产力与生产量。总而言之，新民主主义是无所不包地去推动生产的。要发展中国经济，这是一条最好的道路。

有人怀疑新民主主义为什么这样的宽容了资本主义，我们的回答是很简单的。拿发展资本主义去代替外国帝国主义与本国封建主义的压迫，不但是一个进步，而且是一个不可避免的过程。现在的中国，是多了一个外国的帝国主义与一个本国的封建主义，而不是多了一个本国的资本主义，相反的，本国的资本主义实在太少了，应该大大地让它发展才是！

这些理由，证明新民主主义经济，是适合于今日中国的需要的。中华民族的历史任务，中国政治经济的现实条件以至国际上的民主主义的巨流，无一处不在证明这一点，这是没有什么疑义的啊！

（二）新民主主义经济的特点

新民主主义经济的内容是怎样的呢？这是我们接着应该回答的另一问题。

在本书第一章中，作者在提到战时经济的时候，尝指出现在的中国经济，已有新民主主义之存在，不过，在那里，只是初期的新民主主义经济而已，它只在中国某些地区之内实现。因为它才在开始实行；日本强盗还未消灭；这些解放区还处在犬牙交错的局面中；战争的破坏还未停止；就是靠近大后方的较为安全的地区，亦仍未脱离军事封锁与威胁。这一切，使新民主主义经济的实施受到某些限制。例如，为着团结一切社会阶层反对共同敌人，不取消地主的土地所有权，而只实行减租减息（在抗战结束后亦继续如此）。为什么如此呢？很明白，因为新民主主义经济并不是一朝一夕所能完成的，起码有几十年的时间，需要我们为这个目标而努力，但在这大阶段的各个小阶段中，情形是不断在变化的。

因为情形变化，所以我们的做法亦不得不与之适合。在日本强盗还未打败，全国的民主改革受到种种障碍而未能实施的今天，我们在施行经济建设时，当然不能不受到某些限制了。所以，在第一章中所提的新民主主义，只是初期的新民主主义而已。现在，我们还须把新民主主义的远景，把它的根本特点，简略地叙述一下。

新民主主义的经济，就是孙中山先生的民生主义的经济。它的特点如下：

第一是实行“耕者有其田”的口号。在中国国民党第一次全国代表大会宣言中，中山先生指示我们：“中国以农立国，而全国各阶级所受痛苦以农民为尤甚，国民党之主张，则以为农民之缺乏田地，沦为佃户者，国家当给以土地，资其耕作，并为之整顿水利，移殖荒徼，以均地力。”同时，中山先生对农民运动讲习所的训词中，更明确的提出“耕者要有其田”。他说：

> 我们解决农民的痛苦，归结是要耕者有其田，这个意思就是要农民得到自己劳苦的结果。要这种劳苦的结果，不令别人夺去了。现

在农民的劳动结果，在农民自己只能分四成，地主得了六成。政府所抽的捐，都是由农民出的，不是由地主出的。像这种情形，是很不公平的。

实行中山先生的“耕者有其田”的口号，就是扫清农村中的封建关系。因为地主的封建占有关系，使农民失去土地而沦为佃农及雇农，使农民不能享有其自己劳苦的结果。只有否定了大地主的土地所有权，才能使农民获得土地。但在这里，不是建立社会主义的农业，而是把土地从封建剥削者手里转移到农民手里，变为农民的私有财产，使农民从封建的土地关系上，获得解放，使农业从旧式的落后的水平进到近代化的水平。因此，“耕者有其田”的主张，是一种资产阶级民主主义性质的主张，而不是无产阶级社会主义性质的主张。

第二，在工商业问题上，中山先生在中国国民党第一次全国代表大会宣言中，指出：

凡本国人及外国人之企业，或有独占的性

质，或规模过大为私人之力所不能办者，如银行、铁路、航空之属，由国家经营管理之，使私有资本，不能操纵国民之生计，此即节制资本之要旨也。

这个方针，是很正确的。因为中国经济还十分落后，亟需要资本主义生产的发展。而这个方针，并不没收其他资本主义的私有财产，亦不禁止“不能操纵国民生计”的资本主义生产的发展，是很适合于中国经济的客观需要的。所谓“节制资本”并不是否定私人资本，而只是禁止那种操纵国民生计的私人资本而已。

第三，在新民主主义的社会中，中国经济必将由国家资本，私人经营与合作经济三者构成的。这个国家资本之所谓国家，一定不应该是“少数人所得而私”的国家，而一定要是“为一般平民所共有”的新民主主义的国家。这种新民主主义的国家经济，将统治着国防工业、锁钥工业、金融机构与交通机关，它在整个国民经济中，将起着极其重要的比重。其次，私人经营的经济中，广大的劳动人民，更具体的说，广大的获得土地改革的利益的农民，将占着极大的比重。他们以自己的劳动，用自己的工具，耕耘自己的田地，并且享受自己的劳动的成果。在实行初步土地改革——即减租减息的今天，许多独立生产的农民，都直线地走上富农的大道。吴满有及申长林的新式富农的方向，已经成为实行土地改革地区的农民的方向了。其他如手工业者，亦将有极快的发展。这就是说，劳动人民的个体经济，将在新民主主义经济中，将占有极多的数量，极大的比重。劳动人民的个体经济是属于私人资本的范畴的。他们自己参加劳动，同时亦雇佣一些长工短工。这些雇佣劳动，说明他们的资本主义性。实行了土地改革的地区的新式富农，就是具有资本主义性的。在这些劳动人民的个体经济之外，还有私人资本主义经济之存在。这就是工商业方面的私人资本。在这里，民族工业的私人资本，要让它获得广大发展的便利，但对于那些商业资本，应该制裁其操纵垄断的作用。最后，所谓合作经济，主要是指农业的生产合作与手工业的生产合作。这种农业生产合作社，初时还只能是建立在农民个体经济基础上的——即农民私有财产基础上的集体的互助的劳动组织，例如变工队、互助组、换工班之类，但是生产力的发展与产量之增加，已属惊人。手工业的生产合作社亦是手工业者个体经济的集体组织。这种组织与大后方的所谓“工合”，是不可同日而语的。因为“工合”的许多合作社，并不是手工业者的合作组织，而是一些借了“工合”的贷款和挂上“工合”的招牌的旧式作坊罢了。真正的手工业合作社，应该是独立生产者的集体组织。在新民主主义国家的扶助之下，合作经济将来一定会飞快的发展，一定会成为农民与手工业者的个体经济的出路。

第四，欧美旧式的民主主义经济，是以否定独立生产者之存在为其前奏曲的。马克思在论及“资本主义蓄积之历史的倾向”时，很明白的说：

> 资本的原始蓄积，换言之，资本之历史的发生，究竟是什么呢？在不是由奴隶和农奴直接转化为工资劳动者的限度内，换言之，在不仅仅有形态变化的限度内，那等于是对直接生产者的剥夺，即等于是以生产者自己劳动为基础的私有财产的解体。

在资本原始蓄积的时候，资本家以否定独立生产者的私有财产为前提；到了资本主义生产成立之后，亦是不断地以独立生产者为牺牲的。所谓资本的聚积，就是由积蓄剩余价值而来的资本的增殖；所谓资本的集中，就是由于大鱼吃小鱼，大资本吞并小资本而来的企业合并。在这里，小资本没落了；独立生产者更是在大资本的打击之下纷纷溃散下去的！这是旧式民主主义经济的一个特点。这个特点是不能在新民主主义经济中存在的。在新民主主义经济中，不是大资本否定中小生产，而是独立生产者——农民的个体经济与手工业的个体经济的广泛的发展，在新民主主义国家的扶助之中，他们将逐渐被组织在合作经济之中。这个特点是英美旧式的资本主义所没有的！

第五，新民主主义经济是走进社会主义经济的跳板。如果从片面来看问题，则这种说法，是不可思议的。因为新民主主义的历史任务，它的实际的作用，是在于扩展中国的资本主义生产。你看，土地改革使农民从封建的土地关系上得到解放，使农业从旧式的落后的水平进到近代化的水平，从而使工业获得市场，造成了将农业国转变为工业国的可能性。故土地改革不但开展了农村的资本主义，而且扩展了城市的工业资本主义。你看，作为新民主主义经济的构成部分之一的私人经济，包括了私人资本主义和劳动人民的个体经济。私人资本主义固不用说，就是劳动人民的个体经济，亦是带有资本主义色彩的。因独立生产者的经济，是小商品生产者的经济，而小商品生产，是要产生资本主义的。像这样，为什么说新民主主义经济是推进到社会主义的跳板呢？其实，这是一个很明白的问题。因为新民主主义经济的三个构成部分中，除了私人经营之外，还有国家经营与合作经济。只要国家是新民主主义的国家，是代表绝大多数人民“为一般平民所共有”的国家，则这种国家所经营的企业，是容易具有社会主义性质的；其次，合作经济，在初期诚然是农民或手工业者的个体经济底集体组织。这种组织，是容易推进到社会主义去的。列宁在《论合作社》一文中，辩证地指出合作社的性质。他说：

在个人的资本主义之下，合作社的企业和资本主义的企业之不同，实同集产主义的企业

> 和个人主义的企业之不同是相等的。在国家资本主义之下，合作社的企业和国家资本主义的企业之不同，第一是在私人的企业，第二是在集产主义的。在我们现在的组织中，合作社的企业，是集产主义的企业，而和私的资本主义的企业相异；但这合作社的企业，如果在属于国家——即劳动阶级的土地和生产手段之上的场合，是和社会主义企业没有区别的。

新民主主义国家的国家经营与合作经营，在整个国民经济的比重之提高，将会使新民主主义经济，较容易地推进到社会主义去！

综合上面所述，新民主主义经济的历史地位是很明白的。一般的社会发展，是从封建社会、资本主义社会推进到社会主义社会。中国因为是一个殖民地半殖民地的封建国家，它必须摆脱外来的民族压迫与国内的封建压迫，必须完成资产阶级性的民主革命，但在中国的政治社会条件之下，不能走欧美的旧道路，必须建立广大的工农小资产阶级为主的联合战线，来进行经济改造。

因之，在基本上，新民主主义经济是资产阶级性的，但又加上若干的修正。这些修正，扬弃了旧式资本主义的垄断独占排斥中小生产的缺点，使这个国度中的劳动人民有机会得到发展，得到提高其生产兴趣与能力；使这种经济成为推进到社会主义去的过渡阶段。

（三）新民主主义经济的根据

对于现阶段的中国，新民主主义经济是很美满的。但是，它有没有实现之可能呢？它的根据又是什么呢？这又是我们需要回答的问题。

我们认为新民主主义经济的根据有三：

第一是政治上的根据，经过了八年的抗战，中国的社会力量的对比，更加明显的起着变化。以王克敏、汪精卫、陈公博为代表的一部分大地主大资产阶级已变成汉奸而没落了；在战争的打击之下，沦陷区的一些地主亦大大地降低其力量了；而沿江沿海的大城市的毁坏，使八九十年来中国的一些大工商企业亦受到严重的打击；某些在后方作恶为非的大地主大资产阶级，更是受到人民的唾弃的。反之，广大的农民，特别是敌后解放区的农民，却在抗战的洪炉中团结起来了；数百万的产业工人，数千万的手工业工人和雇农，却在茹辛含苦，为抗战而贡献他们的一切。在前线，他们已武装起来；在后方，他们拼命的在生产。此外，广大的小资产阶级亦大大提高其对于政治的努力。中国的社会力量对比明明白白在变化了。这种变化指明：中国的政治再不能保存着民族压迫与封建法西斯的压迫了。只有以全国绝大多数人民为基础的统一战线的民主联盟的国家制度——即新民主主义的国家制度，才能适合于中国现阶段的情况，才能取得数百万产业工人、数千万手工业工人与雇佣农民的同意；才能取得占全国人口百分之八十的农民阶级的同意；才能取得广大小资产阶级、自由资产阶级、开明士绅与其他爱国分子的同意。不管前途有多少困难，不管在过程中要经过若干挫折，中国要走新民主主义政治的道路，是决定了的。“新民主主义的政治，就是新民主主义经济的集中表现”，前者以后者为基础，但后者却以前者为暖室。

第二、新民主主义的经济不但在政治上有其实现的前提，而且在经济上亦有其实现的条件。事实上，如本书第二章所述，新民主主义经济已在中国一些地方实行了。构成新民主主义经济的三个部分，都是或多或少地在中国存在着。以国家资本而言，它现在掌握了一些重工业和军事工业，掌握了大银行和铁路公路以至航空。现在的问题是在于如何使这些国家经济机关，不再成为少数人舞弊营私的工具。以私人资本经济而言，从开采业一直到纺织、染色等业，都有一些基础。这些民族工业，诚然很薄弱，但它的基础和成就，是不能否认的。以农民的个体经济而言，亦是广泛地在中国各个角落存在着。现在的问题，是在于如何使他们从封建剥削解放出来，使他们能够避免其没落的运命，并且走上向上发展的道路。以农业生产合作而言，像变工队一类的合作组织，原来在农民中早就有了的，但在那时，不过是农民悲惨生活的表现。现在解放区的变工队，形式与内容都起了变化，它是农民群众为着发展自己的生产力，争取富裕生活的表现。

总而言之，实现中国新民主主义经济的条件，是存在的，现在的问题，是在于推进他们，发展他们，改变他们的形式与内容，亦就是说，是在于给与他们以大前提，是在于进行土地改革，解放农民，肃清官僚机构，发展现代工业等工作。只有如此，才能使现有的各种经济关系，能有机地成为新民主主义经济的构成部分。

第三、新民主主义的政治经济，是与孙中山先生的学说一致的。孙中山先生主张中国要成为一个“为一般平民所共有”的国家。国民党第一次全国代表大会的宣言里说：

> 近世各国所谓民权制度，往往为资产级阶所专有，适成为压迫平民的工具。盖国民党之民权主义则为一般平民所共有，非少数人所得而私也。

这就是联合一切民主阶级的统一战线的政治制度，这个政治制度保证了国家资本不致成为少数特殊人物害国殃民的工具，并且保证了土地改革，解放农民和建立现代工业之实行。在国民党第一次全国代表大会宣言的另一个地方，孙中山先生指示了平均地权与节制资本的要旨之后，又进而告诉我们：

于此犹有当为农民告者，中国以农立国，而全国各阶级所受痛苦，以农民为尤甚。国民党之主张，则以农民之缺乏田地，沦为佃户者，国家当给以土地，资其耕作，并为之整顿水利，移殖荒徼，以均地力。农民之缺乏资本至于高利贷以负债终身者，国家为之筹设调剂机关，如农民银行等，供其匮乏，然后农民得享人生应有之乐。又有当为工人告者，中国工人之生活，绝无保障，国民党之主张，则以为工人之失业者，国家当为之谋救济之道，尤当为之制定劳工法以改良工人之生活。此外如养老之制，育儿之制，周恤废疾者之制，普及教育之制，有相辅而行之性质者，皆当努力以求其实现。凡此皆民生主义所有事也。

由此可见，孙中山先生的民生主义是以解放农民工人为着眼点的。同时，他又指出：要求民族解放，只有依靠广大的农民和工人。这个宣言接着说；

中国以内，自北至南，自通商都会以至于穷乡僻壤，贫乏之农夫，劳苦之工人，所在皆是。因其所处之地位与所感之痛苦，类皆相同，其要求解放之情，至为迫切，则其反抗帝国主义之意亦必至为强烈。故国民革命之运动，必待全国农夫工人之参加然后方可决胜，盖无可疑者。

因为中国是一个农业国家。农民占全国人口百分之八十，而其生活又最痛苦，所以孙中山先生对于农民问题十分注意。十三年八月对农民运动讲习所的训词中，明确地提出耕者有其田；明确地指示我们："解决农民的痛苦，归结是要耕者有其田。"就是明证！新民主主义经济的重要内容，是土地改革、解放农民、建立现代化工业和推动合作经济，这一切，都是以孙中山先生的学说为根据的。

除了少数反人民的集团之外，中国各个民主党派，都承认孙中山先生这种学说为中国今日之所必需，愿为其彻底实现而奋斗。这种理论已掌握群众了，已经成为物质的力量了。这又是实现新民主主义经济的保证！

毛泽东先生所倡导的新民主主义（经济）在中国是有其实现的根据和理论的根据的！这不是浮现在脑海中的乌托邦，而是实实在在的将要在中国展开的社会经济制度。你看，在战后解放区，在陕甘宁边区，它不是已经在人民的生活中展开起来了吗？新民主主义经济底航船的桅顶，已经冒出地平线来了！

要使新民主主义在中国展开，当然不能以现存的一些因素为满足，要须要在财政经济上采取一些办法去促进它，去使它更快的在中国展开。这就是财政经济政策方面的问题。

第四章　财政经济政策

一　新的财政经济政策的重要性

新民主主义经济之在中国实现，并不是自流的，并不是自然产生的。正像整个新民主主义制度一样，它需要无限的血汗去灌溉，它需要许多的人为的办法去栽培。在这里，直接与它最有关系的是财政经济政策。

在资本主义社会中，国家的财政经济政策不是经济生活首要的根本原则，这种政策是由于经济内部的、盲目地起着作用的法则所决定，财政经济政策是被经济所决定，并且在总的方面，是受资本主义自然的法则所支配的，但同时，前者又给与后者以反作用。这就是说，财政经济政策在一定限度之内，对于资本主义可能发生一种推动或缓和的作用。恩格斯在其致斯米德的书信中，尝论及国家政权是资本主义社会经济生活中的积极因素。他这样的写着：

> 新的独立力量（指国家——引者），一般说来，是应当跟随着生产而变动，但，它对于生产的条件和进程，同样亦发生作用，因为它有一种相对的独立性，或者更正确地说，它曾获得一种相对的独立性，以后这种独立性，有了继续的发展。

对于经济的基础，“国家，可以用保护关税、自由贸易、良好或恶劣的财政状况去发生影响。”

很明显，国家政权可以用各种不同的方式去影响经济的发展，可以促进经济发展的一般趋势，亦可以阻止它；可以促进某种倾向，也可以阻碍别种的倾向。国家政权对于经济具有直接影响的方法，就是财政经济政策。因为如此，所以在恐慌来临的时候，资本主义国家中的统治集团，拼命的企图用国家立法去“减轻”或“消灭”恐慌，企图把恐慌的负担完全移到工人及广大劳动群众的身上。虽然充满着矛盾的资本主义与自觉的有计划的管理互相矛盾，虽然要用国家干涉的方法去减轻或消灭恐慌为不可能，但他们所使用的政策，不能说没有一定的影响。

新民主主义的经济与旧民主主义的资本制度有某些差别。新民主主义中，有私人资本的成分，这一部分，是与旧民主主义中的资本制度相同的，但除此之外，这种国家的政权，是"为一般平民所共有"的；在这种政权下的国家资本，将在整个国民经济中占着决定性的地位；同时，合作社经济又将有长足的进展。这些因素可以使中国经济较接近于有计划的管理。这是新民主主义济经与旧的资本主义不同的地方。因为旧的资本主义充满了矛盾——阶级的矛盾，生产与占有之间的矛盾，厂内的有组织性与市场上的无政府状态的矛盾。这些矛盾是与有计划的管理不能协调的。

同时，新民主主义的经济却不能与社会主义经济相提并论。社会主义国家的经济充满着经济生活的自觉性。因为消灭了一切的剥削关系，因为它消灭了一切的阶级矛盾，而新民主主义社会则仍是有阶级的，它仍是属于资本主义范畴的私有财产制的，它并未取消人与人间的剥削关系，只不过削弱这种关系罢了。因此，新民主主义的财政经济政策，还不能做到绝对的有计划的管理，因而它的财政经济政策并不能像社会主义国家一般，充满着充分的自觉性。

新民主主义的财政经济政策是有它的根据的。这可分成二方面来说：在一方面，它是以现存的经济结构为前提；在另一方面，它又以将来发展的方向为条件。现存的经济结构，如本书第二章所述，有封建的残余，有资本主义的成分，还有个体劳动人民与合作社的经济。新民主主义的财政经济政策的任务，就在于削弱以至取消封建剥削，就在于抵抗国际资本的压迫，就在于发达新民主主义的国家资本，就在于促进私人资本与合作社之广泛地发展。这个方向，乃是建设新民主主义社会的所需的。因此，在农村方面必需实行土地改革——从初步的减租做起；在工业方面，必需使民族资本能发展起来；对于中小生产必需使其从封建剥削中解放出来，从大金融资本与官僚资本的操纵之下解放出来；对于贸易运输，必需使其能配合生产；对于金融，必须使其面向生产；对于财政，必须使其发生推动整个国民经济的作用。只有通过这种财政经济政策，才能使旧的中国经济，变成新的中国经济；才能使这个衰落残废，充满着封建性和半殖民地性的古国，变成一个富强幸福的“衣食丰足”、“各得其所”的新国家。

为了叙述的方便起见，本章将依次讨论下列各问题。这就是：（一）土地政策与农业政策；（二）工业政策与劳动政策；（三）贸易运输政策；（四）金融政策；（五）财政政策。

二　土地政策与农业政策

（一）必须解决土地问题

曾经有一个时候，只许谈农业问题，不许谈农民问题，因为谈到农民问题的时候，就必定要谈到土地问题。土地问题的探讨，必定要触到农村的阶级问题。这是会使某些人头痛的。如果只谈农业问题，那就轻松得很多了。在这里，人们只能在现存土地制度之下“做文章”，人们只能在改良种籽，施肥，水利以及信用等技术问题中兜圈子；地主对佃农的剥削关系看不见了，这实在是煞费苦心的办法，但是，这种办法是徒劳无功的。因为农业问题讨论到彻底的时候，是不能避免土地问题的。农业问题要讨论农产是否收成得好，就必须触到农民是否有能力改良种子改良地力等问题，而这些问题，如果离开土地问题或离开租佃制度，那是没法解决的。这就是说，如果离开土地问题，我们就不能好好的措理农业问题。土地问题是农业问题的前提。只有解决土地问题，才能使农业从旧式的水平进到近代文化的水平。因此，我们必须用更多的注意力去讨论土地政策。

中国的土地分配是极端不合理的。据一般的估计，中国全部的耕地，大约有百分之七十，集中于仅占农村人口百分之十的地主和富农手里，而占全农村人口百分之九十的中农、贫农和雇农，却只有百分之三十的土地。如果以个别的例子来说，地主之占有土地，是更可惊人的。先说过去的例子吧，湖南聂云台家，拥有土地十余万亩，冲阳的赵恒惕家，新宁的刘坤一家，以及洞庭湖畔的多数湖田地主，其所有地大多在一万亩以上；河南的袁世凯家，竟占彰德的所有地三分之一；安徽的李鸿章家，其在芜湖及河南信阳一带之所有土地，是没法测量的。战时的土地集中，更加厉害，四川平原的大地主，占地三四十万亩的，极为平常；郫县全县的土地，几乎被某一人买光；广安的大地主，占有全县土地之半数；重庆附近的土地，亦有类似的现象。土地越集中，则地主对于农民的剥削越加扩大而深刻。因为，一如前面所分析，地主是把土地在苛刻的条件下零碎地租佃给小农的。这完全是前资本主义的封建剥削。这种剥削降低了农民的生产能力与生产情绪，形成了农业停滞以至衰落的景象。孙中山先生在民生主义的演讲中，很明白的指示我们：

> 中国的农民……有九成都是没有田的，他们所耕的田，大都是属于地主的，有田的人自己多不去耕。照道理来讲，农民应该是为自己耕田，耕出来的农产品要归自己所有；现在的农民都不是耕自己的田，都是替地主耕田，所生产的农品，大半是被地主夺去了。这是一个很重大的问题，我们应该马上用政治和法律

> 来解决。如果不能够解决这个问题，民生问题便无从解决。农民耕田所得粮食，据最近我们在乡下的调查，十分之六是归地主，农民自己所得到的不过十分之四。这是很不公平的。……假如耕田所得的粮食完全归到农民，农民是一定更高兴去耕田的。大家都高兴去耕田，便可以多得生产；但是，现在的多数生产都是归于地主，农民不过得回四成，农民在一年之中，辛辛苦苦所收获的粮食，结果还是多数归到地主，所以许多农民便不高兴去耕田，许多田地便渐成荒芜不能生产了。

孙中山先生的话，是完全正确的。如果不解决土地问题，无论如何，农业生产是不会发展的，农村经济是不能避免破产的（当然，不能忽视帝国主义的侵略）。我们必须解决中国的土地问题！

解决土地问题，不但使中国的农业，从旧式的落后的水平，进到现代化的水平，而且是发展中国新工业的一个契机。因为土地问题如果得到解决，就可使农民从封建关系上解放出来，进入城市，去做工厂里的工人；而农业水平与农民购买力之提高，使他们能够供给最丰富的粮食、原料与吸收最广大的工业品。这二者，都是发展中国工业的前提。为了使中国能从农业国转变为工业国，我们必须解决中国的土地问题！

土地问题是必须解决的，但，怎样解决这个问题呢？

（二）“平均地权”与“耕者有其田”

要解决土地问题，必须有正确的土地政策。对于土地政策，各方面皆以孙中山先生的学说为根据，但大家对于这个问题的态度和办法，并不是相同的。因此，我们必须先研究中山先生的学说。

中山先生规定民生主义的基本原则，是“平均地权”。同盟会的宣言这样写着：

> 文明之福祉，国民平等以享之。当改良社会经济组织，核定天下地价，其现有之地价，仍属原主；所有革命后社会改良进步之增价，

则归于国家，为国民所共享。肇造社会的国家，俾众人足，四海之内，无一夫不获其所，敢有垄断以制国民之生命者，与众共弃之。

平均地权的内容，是随着时代而增进的。民国纪元以前，侧重涨价归公。民国元年始提出地主报价、照价抽税、及照价收买，而颇侧重于照价重税之单税法。中山先生在民国元年对中国社会党演讲词中，说道：

我国今日而言社会主义，主张土地公有，则规定地价及征收地价税之二法，实为社会主义之政策，即调查地主所有之土地，使定其价，自由呈报，国家按照其地价，征收地价百一之税。地主报价欲昂，则纳税不得不重；纳税欲轻，则报价不得不贱；两无所权，所报之价遂不得不出之于平。国家据其地价，载在户籍，所报之价，即为规定之价。此后地价之增加，咸为公家所有，私人不能享有其利。

这一段话，指明规定地价及照价征税是二个重要办法，但中山先生在同年解除临时总统职后在同盟会饯别会上的演讲时，又指出：

必须有第二个条件，国家在地契之中，应批明国家当须地时，随时可照地契之价收买，方能无弊。

照饯别会上的演讲词看来，重心似不在照价收买，而在于照价抽税。因为在这演讲词中同时提出："由国家收买全国土地，恐无此等力量，最善者，莫如完地价税一法。"至于国家照价收买，只不过是防止地主故意低报地价的弊端罢了。

民国十年间，亦即是国民党改组以前那个时期，中山先生对于平均地权的办法，以照价抽税和照价收买二者为要着。在"三民主义之具体办法"演讲中，他指出：

兄弟所规定的办法，极其简单而又极公平，就是令人民自己报告地价，政府可以收买。

这个办法便可使人人不敢欺蒙政府，不致以多报少，或者以少报多。

到了民国十三年国民党改组的时候，中山先生的平均地权的学说，乃有更进一步之发展。在“第一次全国代表大会宣言”中，指出平均地权之要旨为：“由国家规定土地法，土地使用法，土地征收法及地价税法。私人所有土地，由地主估价呈报政府，国家按价征税，并于必要时依报价收买之。”这些办法之内容，与以前的主张，是相同的，但除此以外，还提出“耕者有其田”的原则来。宣言在说明了平均地权与节制资本的要旨之后，接着就说：

于此犹有当为农民告者，中国以农立国，而全国各阶级所受痛苦，以农民为尤甚。国民党之主张，则以为农民之缺乏田地，沦为佃户者，国家当给以土地，资其耕作，并为之整顿水利，移殖荒徼，以均地力。

同年八月对农民运动讲习所的训词“耕者要有其田”中，更明白的指出：

“耕者有了田，只对于国家纳税，另外便没有地主来收租钱，这是最公平的办法。我们现在革命，要仿效俄国这种公平办法，也要耕者有其田，才算是彻底的革命。”同时又说：

“我们解决农民的痛苦，归结是要耕者有其田。这个意思就是要农民得到自己劳苦的结果。”

由此可见，中山先生的平均地权的学说，是随着时代之发展而提高其内容的。在初期，中山先生的学说，是采自亨利佐治的。孙先生在其关于“社会主义的派别及方法”的演讲中，对此点尝有所介绍。但是，中山先生所处的国度，是和亨利佐治所处的国度，完全不同的。亨利佐治的学说出产在美国，而美国那里，本来是没有封建制度存在过的，美国农民都从欧洲移去，他们到了美国，即得到了土地，走上资本主义的道路。但在中国，情形就不相同了。中国的土地是掌握在封建地主的手里，中国的广大农民，是长期地在封建剥削之下过着其非人的生活的。故在中国，提出平均地权，提出土地国有化的问题，必须具体地把它看成是农民从中古制度解放出来的问题。农民在全国人口中占百分之八十以上，如果百分之八十以上的人口，不从中古制度解放出来，则中山先生的平均地权的革命原则，便会被视为抽象的空洞的原则了。平均地权的问题应该是与农民获得土地的问题，联结起来的。中山先生晚年的耕者有其田的主张，为什么获得全国民众的拥护，其原因就是在此。

孙中山先生的平均地权的学说之发展，是明明白白的，但不幸得很，有一些人，却在某种企图之下，故意曲解中山先生的学说，把平均地权作为抽象的，固定的主张。这些人说：

> 或谓平均地权之目的为耕者有其田，不知"耕者有其田"，在总理思想上最为晚出，不过平均地权政策中特殊办法之一，而平均地权之目标，则远大于此也。
>
> 或谓平均地权方法，第一步达到土地农有，第二步达到土地国有。实则面目全非，论者个人主张而已，非愚即诬也。盖任令农有者，

有其人工改良所生之价值，与应归公之部分不同，二者并行不悖，绝无由此达彼之理，而照价重税与涨价归公实施之日，即已达土地公有之境，亦无需借手于先行农有也（引自“平均地权与土地改革”中，万国鼎的“平均地权思想的演进”）。

另一位先生又这样的说：

……然不能据此断定“耕者有其田”，即为“平均地权”之权有目的，盖无论平均地权自有其体系及归趋，即就“民生”之“民”之范畴言，耕者纵多，究不能以括“全民”也。抑社会日益繁荣，工商业日益发达，则耕者与非耕者之反比的因素日大，而市地问题亦日趋重要，又为必然之趋势。故就农民之生活幸福而言，自为“耕者有其田”，而就全民之社会福利言，则非“平均地权”不为功……。苟进一步就其重要性之如何实现言，易言之，即就

"平均地权"之根本性与动力性言，则更应谓为"平均地权政策若是不能实行，耕者有其田更是一句空话"。岂特"空话"，根本无可实施，尤为事理之当然矣（同上书，缪启愉的"平均地权在三民主义中之地位"）。

把这些先生们的意见归纳起来，可以约为四点：第一是"耕者有其田不过为平均地权政策中特殊办法之一"，而平均地权之目标更为远大；第二是土地公有无需借手于先行农有；第三是耕者纵多不能以括"全民"；第四是"平均地权若不能实行，耕者有其田更是一句空话"。这些论点之提出，不可不谓"煞费苦心"，但可惜事实却处处证明这种"苦心"是枉然的。

第一，他们把中山先生之"耕者有其田"的主张，与民元之主张全国换契，民五之发行地方公债收买土地，民八之主张市地国有国营，同样看待。这是专在形式上舞文弄墨，不愿意从内容上，从发展的观点上去了解"耕者有其田"的。你看，在内容与作用上，怎能把"全国换契"发行地方公债与收买土地相提并论呢？这些先生们，打算在“特殊办法之一”的判断之下，降低耕者有其田的意义，可惜这个“特殊办法”是太“特殊”的，它是其他特殊的办法所不能比拟的。就以“市地国有”而言，城市地价诚比农村地价高得多，城市土地的操纵性亦颇严重，但是，我们应该把中国全部的情形看一看，中国的城市在比重上是不能与农村同日而语的，中国还是一个农业国家，占全国人口百分之八十以上的三万万六千万农民所渴望实行的“耕者有其田”底严重性，怎能与“市地国有”相提并论呢？在这里，我们可以附带回答第三种论点——农民不能包括“全民”。试问离开三万万六千万农民而谈“全民”，则这个“全民”，难道不是一个空洞的概念，难道不是全民族中的少数？至于所谓“工商业日益发达，则耕者与非耕者之反比的因素日大，而市地问题亦日趋重要”，这种看法的错误，第一是无视今天中国工商业还不怎样发展，耕者与非耕者之反比的因素，还相差得很远，第二，假定将来中国工商业发达，亦不能降低农民问题之重要。其次，从历史的发展上来说，中山先生的平均地权的学说，是跟着时代而日益丰富的。“耕者有其田”，是中山先生的最后的主张；是积四十年的经验，并且参考十月革命所得出的结论。故从历史的发展而言，这一“后来居上”的主张，是不能与早年的主张一样看待的。正因为这样，就是贬低“耕者有其田”的人，亦不得不在其他的地方，说出“特耕者有其田对于革命建设之关系，尤为重大，苟天假遐龄，总理决全力以促其实现，是其不同，而亦可必也”了。

第二，关于土地公有无需先行土地农有的说法，是以照价重税与涨价归公的实施为理由的。他们认为“照价重税与涨价归公实施之日，即已达土地公有之境”，故无需先行农有。是的，中山先生的平均地权实行的结果，将会给与地主以打击，但地主的土地私有权并未因此就完全被否定，中山先生尝说过：

> 地主真是明白了我们平均地权办法的道理，便不至害怕，因为照我们的办法，把现在所定的地价还是归地主私有（民生主义第二讲）。

"耕者有其田"是把地主的私有，变成为农民的私有。农民虽则是私有的，但在这种个体经济的基础上，通过农业生产合作等种种办法，必定逐渐可以走上集体化的道路，反之，地主的私有制则分明没有这种可能。故不先行"耕者有其田"，而单靠"照价重税与涨价归公"，则所谓"土地公有"也者，难道不是一句抽象的空话么？中山先生说得很明白，"如果耕者没有田地，每年还需要纳田租，那还是不彻底的革命"。在这里，所谓彻底的革命，就是要把农民从封建的剥削解放出来，使农民从分散的个体经济，逐渐地集体化。

第三，关于平均地权为实现"耕者有其田"的唯一办法，亦是值得讨论的。中山先生晚年竭力主张"耕者有其田"，至于如何使农民得到土地这个问题，中山先生或许曾期望经政府照地主定价收买之后，再给农民以土地。如果农民能无代价从政府得到土地，我们就可以不问政府用何种方式从地主得到土地。在具体历史的可能情形下，科学的社会主义者并不反对任何"购买"的手续。但这是限于特定的历史时机而说的。关于中国的农民土地问题，由于历年农民的奋斗，由于日寇在东北及关内沦陷区中没收土地的教训，或许会使得地主在相当程度上感到自己有让步的必要，而可能愿意从政府得到相当代价出让土地，但在另一方面，有不少人正在大后方以土地为追求的对象，谷价越高，地租越重；地租越重，地价越高。地主把土地当作生命，要以相当代价向地主购得土地，是很成问题的。战时后方所进行的所谓“集体农场”，不是经常碰到地主不肯卖地的悲剧吗？这就是说，地主能否愿意以相当代价出让土地，还是成为问题的。其次，在这次民族解放战争中，有不少大官僚大地主是甘心附逆认贼作父的。对于这些人，难道我们还须要客客气气的用相当代价去请他让出土地吗？没收汉奸土地，早已成为举国人民的要求了。这又说明，平均地权并不是达到“耕者有其田”的唯一办法。

总之一句话，这些降低“耕者有其田”的意义和作用的先生们，“忠心耿耿”，只在替那些在全国土地中握有百分之七十的耕地的地主，保持其封建特权罢了。“耕者有其田”是封建特权的死对头；“耕者有其田”彻底地否定了地主对农民的剥削。就是因为这个道理，所以他们痛恨人们去实行“耕者有其田”，所以他们动员了一些文人替他们找寻论据，但可惜这又是孙中山先生明明白白提倡的，不能公然勾销，只好说这是“特殊办法之一”，只好说土地公有无需先行农有，只好说农民不能包括“全民”，只好说若没“平均地权”就没“耕者有其田”了。这一切曲解武断的目的，不外是说，“耕者有其田”并不怎么重要，它是可有可无的，甚至于可以推论成为：“耕者有其田”与平均地权是对立的，有平均地权就可以不要“耕者有其田”了。这些先生们，打算偷天换日，但可惜，中山先生的“耕者有其田”的主张是如“日月经天”，偷不了，亦换不了的啊！

对于平均地权尚有另一种看法，这就是不要“耕者有其田”而直接实行土地国有。这种主张与刚才所说的第二种主张有点相像，但在办法上，还有不同的地方。刚才所说的第二种主张只以“照价重税与涨价归公”为途径，而现在所说的一派却是着重以征收或收买的办法迅速使土地国有化的。这一派的主张，叫做“限田与渐进的国有政策”。它的内容如下：“（一）国有土地，不得出卖；（二）无主土地，收为国有；（三）由法律规定过渡时期每户所有土地之最高面积，其超过的部分，由国家以土地债券征收之；（四）国家为实现国防经济政策得征收民有土地；市区土地应尽先征收；不在地主之土地应全部征收，但农民自耕之土地不在征收之列；（五）私人出卖土地时，国家有先买特权；（六）凡国有及国家所征收或收买之土地，得分给于自行耕种之退伍士兵或阵亡战士遗族及农民，但仅给与使用权。”照他们的主张，中山先生的平均地权就是“限田与土地国有”，至于“耕者有其田”的办法，则是被认为“不免有开倒车之感”的！为什么反对“耕者有其田”呢？根据他们的说明，约可分为二点：

（一）“世界之农业生产已逐渐机械化工业化，盖非如此不能减轻生产费，促进生产力，而机械化工业化实以大规模农场为其基本条件，苟将全国土地分给农民，赋与所有权，则势必成为小农场制。小农场制之生产，将来必不能与大农场制之国家竞争。及至‘农有制’完成发现其缺点后，再谋转向‘国有’，则其困难恐将百倍于今日。盖彼时握有小土地之小自耕农，其人数既远多于地主，而小自耕农对于土地所有权之执着，亦将远甚于地主也。”这就是说，为了农业机械化，不能实行小农制；而要将小农制转变为国有制，其困难较地主制为尤难。

（二）“目前‘征实’‘征购’之推行，以大地主较多之省份为较易，若‘农有制’普及全国，则‘征实’既有其限量，而对于余裕较小之小农，‘征购’又复不易，其困难将倍蓰于今日。”这就是说，“耕者有其田”不利于征实征购，为了征实征购，不应推行“耕者有其田”。

我们认为这些看法，都是不能成立的。坚执这种主张的人们是完全不从发展和实际的情形去把握“耕者有其田”的。第一，“耕者有其田”的初期，诚不免是小农场制。但这种小农场制并不是固定不变的，在上面我们已经指出，通过农业合作社等方法，可以逐步将个体的农民经济集合成为集体的生产，到那时，机械化工业化是不成问题的。第二，现在的地主所有制，地权虽集中，但使用权却零碎地分散着，在这种情况下而欲使其集中起来，并不怎么容易的；反之，小自耕农在说服与实际利益的推动之下，只要把他们集合成为集体经济，则对于公有制来说，是迈进了一步的。何以见得“小自耕农对于土地所有权之执着，亦将远甚于地主”呢？第三，关于小农制不利于征实征购的问题，亦是不合于事实的看法。年来事实所昭示给我们的，不是大地主之存在便于“征实征购”，反而是因为大地主之存在，使“征实征购”遇到更多的困难。一般说来，大地主多是有钱有势之人，这些人，是不纳粮为光荣的。在种种便利的条件之下，他们的粮多不纳赋，就算纳粮了，亦是地多粮少的。实际上，负担最多的乃是那些无钱无势的中小农民，他们年年吃着地少粮多或无地有粮的亏。事实把那种以大地主便利于征实征购的说法完全粉碎了。这是从反面来观察的，若从正面的事实，更可证明那种见解之无根据。在实行了土地改革的地方，“耕者有其田”之后，政府所收的救国公粮，不但没有那种欺骗、逃粮或以多报少的现象，而且有踊跃输将的热烈的纳粮的浪潮。说大地主制便利于征实征购，乃是侮蔑农民的一种说法。解放区的事实，完全把这种见解粉碎了。

其实，所谓缓进的国有政策是走不通的。因为：

第一，这种主张是离开中国的社会实况，是无视中国广大农民之要求而谈问题的。中国的实际情况是农民占绝大多数：中国广大农民的要求是要取消那种黑暗残酷的封建剥削，而要取消封建剥削，就必须实行土地改革，使“耕者有其田”。这就是说，中国的农民是渴想土地的。欲使广大农民来参加民族解放和民主改革的运动，就必须实行“耕者有其田”。反之，在这个阶段实行土地国有，就会减低农民的积极性，因为农民还是小有产者，没有给与土地所有权，是难以激起他们的热情的。所谓缓进的国有政策实在走得太远了。这样走下去，广大农民是跟不上的，它只有使农民离开革命。中山先生说：

> 农民是我们中国人民之中的最大多数，如果农民不来参加革命，就是我们革命没有基础（“耕者有其田”）。

如果广大的农民不来参加革命，如果我们的革命没有基础，试问你的土地国有的政策将从何处实现呢？这不是没有前提的空论吗？

第二，主张渐进国有政策的人，还缺乏另一个前提。他们没有问这个“国有”的“国”，是怎样一个国家。

如果国家政权是人民的，那么这个主张还有价值；如果这个国家的政权是属于少数大地主与大资产阶级的，则这种“国有政策”，不外是使大地主的地产更加扩大，使土地更加集中在他们的手里罢了。在这里，所谓市地公有，只不过是为了进一步地扩大官僚资本，为了吞并民间地产所有者，为了更贪婪地压榨都市居民的血汗而已；所谓“限用”，所谓征收民有土地，只不过是为了进一步地扩大大地主与官僚资本对于广大农民、中小地主以至一部分在野的大地主，并给他们在乡的爪牙以无数勒索劫掠的机会而已。这不是什么渐进的国有，而是大地主大官僚资本的急进的私有罢了。事实的逻辑与表面上的标榜，完全是矛盾的啊！

就是因为有这种奥妙，所以那些一向反对“耕者有其田”，反对农民解放的人物，亦可以在某种情况之下，乘风转舵，提出“应以最迅速有效之方法”实现“耕者有其田”了。许许多多急进的辞句，都被写出来！什么“都市土地公有”，什么“征购凡非自耕之土地”，什么“征收适当耕地普设公营农场”，什么“照价收买并限制其分割”等等，在词句上，是十分彻底的，但事实上，它们却被用作骗人的装饰品，如果做起来，有权有势的人的所谓“公营”，一定是除外的，不但除外，还可以向“耕者”“征收适当耕地”，使人民的私营，变为他们的“公营”。这不是耕者无其田吗？何况还有登记，还有报价，还有地籍整理，还有土地银行，更可以无限地上下其手呢？

（三）土地改革的初步

在抗战期间，要进行土地改革，是不能开头就从推行耕者有其田下手的。因为此时中国的土地问题，一方面有着“富者田连阡陌，贫者足无立锥”的现象，在另一方面又横着一个“中国的土地是属于日寇，抑属于中国人民”的问题。特别在抗日民族解放战争决定最后胜利的时候，前者的解决，是不能忽视后者的重要的。这就是说，要解决土地问题，必须服从抗战的利益。

在抗日战争利益高于一切的原则之下，要规定适合此时此地的土地政策，必须承认三个前提。第一是承认农民——富农在内为抗战与生产的基本力量，一切失掉农民的抗战，必然成为无民抗战和最后失败的抗战；

第二是承认地主的多数是有抗日要求的，一部分开明士绅，甚且赞成民主改革；第三是承认资本主义生产方式是中国现时比较进步的生产方式，富农的生产方式是带有资本主义性的，是抗战与生产的一个不可缺的力量，而且有民主要求。基于第一个前提，我们必须扶助农民，减轻地主的封建剥削，实行减租减息，保障农民的人权政权地权和财权。在这里，我们必须把富农与地主区别起来，因为富农并不像地主那样完全脱离生产，他们是生产的组织者，管理者，并且直接参加劳动。他们的经营是比较进步的，较之中农贫农所经营的土地有较高的生产力，在正常情况下，可以不断扩大再生产。他们与地主是有区别的。但，因为高利贷和日工雇佣等关系，因为部分土地出租的关系，因为水利灌溉等关系，富农与贫农之间，是有其矛盾的，但比较起来，在当前的土地问题中，地主与农民的问题是主要的，贫农与富农的问题是比较次要的。基于第二个前提，当前的土地政策仅仅是减轻封建剥削而不是消灭封建剥削，故于实行减租减息之后，须实行交租交息，于保障农民的人权地权政权和财权之后，又须保障地主的人权地权政权和财权，只是对于汉奸地主，才采取立刻消灭其封建剥削的政策。基于第三个前提，应该在适当的改善雇农生活条件之下，奖励富农生产，但对于富农的一部分封建性的剥削，亦应减其租息；在减了富农的租息之后，同时须实行交租交息，保障富农的人权地权政权及财权。一部分用资本主义的方式经营土地的地主，即所谓经营地主，其待遇与富农同。因为这三个前提，故在抗战时期，应该实行减租减息。胜利后亦应继续下去，首先在全国范围以内，贯彻这个政策，实现减租，这是土地改革的初步。实现这个初步改革之后，才寻找适当方法，有步骤地达到"耕者有其田"。这就是说，为了使地主与农民联合起来反对日本侵略者，为了在胜利之后建立一个包括各阶级的民主国家，我们必须退一步，改从减租减息做起。

为了进行减租减息，我们必须依解放区实行的经验，把几个具体问题述之于下：

第一是租额的问题。除了边区曾经实行土地改革因而没有减租问题以外，各个解放区都已先后实行了减租减息了。假定地租原为农民收获总量之一半，则在减租百分之二十五后，租额恰当于土地收获总量千分之三七五。这是国民政府立法院所通过的土地法之规定，该法规定着；

> 田租不得超过土地在正产物收获总额千分之三百七十五，约定田租超过千分之三百七十五者，应减为千分之三百七十五，不及者依其约定。

事实上，这种规定只在限制过重的封建地租的剥削，只在农民斗争的一定阶段上，为了以法律的武器强制地主减租，这自然有进步的意义。不过，这种规定是不能一般通用的。因为地有水地、旱地、平地、坡地……总之有好地坏地之别，而耕种则有“粗耕”、“细耕”之分，种植五谷与培植园艺相比较，其所需的劳动量相差甚远，因此收获总量亦相差甚远，此外，有的地主则供给佃户以耕畜、农具、种籽、肥料，乃至房屋；有的地主则除供给佃农以土地外，只坐收地租，在这种情形之下，欲一律执行这规定，显然是十分困难的。流动性较大、斗争极残酷的地区，则以酌量少减为宜——并不一定实行千分之三七五的规定。故这一规定只在一定条件和一定时期才有意义，不可刻板地一样采用。

第二是钱租谷租的问题。抗战以来，粮价飞涨，“钱租粮租”的问题，已成为地主农民间极大的纠纷。地主多把钱租改为谷租，这对于农民分明是一种损失。在原则上似应以改为半实物地租半货币地租为宜。但钱与粮如何折法，是一个极大的斗争。地主要按战前粮价折，佃户则要求按战时的粮价折。双方都有其理由。在地租形态上，货币地租是比较进步的，但地主把自然地租强制的转变为货币地租时，目的乃在于加重对佃户的剥削。因为钱租多是不管丰歉必须如数先缴的；为了预交钱租，缺钱的农民往往乞灵于高利贷，而放债者又往往是地主自己；在收获后，为了偿还高利贷，农民必须以极低的价格把粮食交给地主。在这种情形下，农民吃亏是很大的。故在地主提出改钱租为谷租的今日，农民之要求以今天粮价作为折算之标准，是言之成理的。但实际上，如果租佃契约期满，应在互让而有利于改善民生的条件下，适当地改为粮租或半钱半粮租。这种办法，农民多少要吃点亏，但对于抗战团结，甚至将来（和平时期粮价会跌）对于农民都是有利的。应该劝农民从大处着眼！

第三是永佃权的问题。抗战以来，地主为着提高地租，为着加强剥削，常常将旧佃户换掉。在这种情形之下，农民的租佃权是毫无保障的。为了旧佃农的生活与农村生产之进行，我们必须反对地主这种不合理的行动。但在这里，并不是说“一切佃户均有永佃权”。在抗战初期的抗日根据地，这个口号尝成为农民防止地主因减租而无端收地之有力武器。后来根据地日趋巩固，为了厘定抗日民主政治下正常的租佃关系，这是必须调整的。调整的途径有四：（一）原有成文或不成文的永佃约定者，或移民时地主或政府赋予农民以永佃权，或曾由佃户出资购得永佃权，或因开荒而获得永佃权，又或以主仆关系地主曾无形给佃户以永佃权，……就是说，以某种关系而获得永佃权——“田面”者，应保障佃户有永佃权，地主只有处置其“田底”——土地所有权之自由，无处置“田面”——土地租佃关系之自由。（二）原无永佃权之约定者，地主对其土地依约有处置之自由。（三）农民佃耕已久，而又无租佃期限之规定者，如发生纠纷，应尊重当地民众习惯，但在抗战时期，地主收回土地时，必须顾及农民生活。若地主确因贫困而收地自耕，原则上应该允许地主收地；惟地主若以该项土地出典出卖时，原佃户以同样条件应有优先权。（四）将土地收回自耕之地主，若在短期内重将原地出租时，原佃户以同样租佃条件应有优先权。

第四是减租后的交租问题。现在不是消灭封建剥削的时候，所以减租之后，必须交租。这是不可避免的义务。再以整个抗战的需要而言，不争取地主合作，抗战即不能坚持，而在客观上、主观上，地主亦需要同农民共同抗日，如果农民不缴租，则地主决不能与农民合作，民族统一战线即会破裂或缩小；就是胜利以后，为了建立一个包括各抗战阶级的民主国家，减租后“佃户须依约缴租”。

第五是所谓“典当地问题”，这就是典地和抵押地问题，这二者是有分别的。（一）抵押地乃是有抵押的高利贷。出押土地者，实际是债户，即债务者。有些是破落户地主，但最多的是贫苦的农民；押入者则是债主，即高利贷的债权者。一般说，债户在缔约后，虽把土地抵押于债主，实际上只交土地的抵押契约，土地并不立即交给地主。其次，约期一般比较短，届期如债户能依约还债，则土地抵押契约就可解除，否则土地即归债权者所有。过去一些军阀官僚，及一些高利贷者，曾用这种办法，掠夺农民之土地。故在抵押地发生纠纷时，我们应站在债务者——出押土地者方面。（二）典地则不同，典出土地的人，以一定的典价和年限把土地出典，典入土地者在此期间即获得土地使用权，并且可以转典（此外并不缴租，所以它不是押租制度）。条约期满（多在三年以上），原典主可以用原典价赎回土地，亦可不赎地而继续无限期的延长典约，土地所有权则仍旧保持。某些地区之习惯逾六十年不赎者，典户才能取得原典地的所有权。清末及民国初年，农民典地并不纳税，俗称“不税契”（田赋仍由原典主缴纳），故有“白契地”（卖地须税契，称“红契地”）之称，为别于买地，个别地方之农民，亦有称之为“活契地”者（买地称“死契地”，即不能再赎之意）。出典者一般是破落地主及破产农民，他需要货币，但又不肯卖掉，而出租所得之租又太少，故以土地出典。典入土地者，多半是贫农、中农和一部分暴发户的富农。他们需要土地，但又缺乏足够的购买土地的货币，而租地耕种又有些不便（如不能很好培植改良土地，不能作固定的较长期的使用……），故只好典地。一般老富农多不愿典地，宁愿多出钱买地，有些富农之所以有不少典地，多半是当他由贫农中农上升为富农时典入的。但在商品经济比较发达之区——特别是产棉产花生地区，部分富农和“经营地主”为了不断扩大其他市场的生产，亦有临时典耕土地者。地主一般是不典入土地的。由此可见典地是由二种因素构成的，它是一种变相贷借（视典主为债户，视典户为债主）和一种租佃关系（视典主为地主，视典户为佃户）的有机的结合。这样，典主即变成地主兼债户，而典户则变为佃户兼债主，而以利息代替了地租，或以地租偿付了利息，即地租和利息成为一个东西的二方面。这是和抵押地不同的。因此，对于抵押地，应站在反高利贷的观点上，以清理债务的眼光去措理，而对于典地的纠纷，却只能按其习惯与条约进行调解。如果把典地当作抵押地而以反高利贷的观点去办理，那是不对的。如果用减息的原则去支持典主，则为什么不可以减租的观点去支持典户呢；这么一来，就会使自己陷入不可调解的矛盾中了。

这是解放区中实行初步土地改革的经验。在时间的发展上，亦经历了几个阶段。第一阶段是政府发动减租减息的阶段，此时地主的态度是防御的、抗拒的，有的被迫减少一点，有的则阳奉阴违。农民则畏首畏尾，有的竟在地主威胁欺骗之下，“明减暗不减”。第二阶段是群众对于地主的优势阶段，此时已经不是依靠“自上而下的发动”，而是广泛深入的“自下而上的”起来了。群众已翻了身，已站起来，于是一部分农民开始不缴租不还债了，有的把赎地换约运动变成无偿收地运动，变成废除债务运动了。地主就开始转向非法和隐蔽的斗争。在表面上出现了许多拥护无产阶级利益的地主，而勾结敌人及屠杀农民等事情亦在发生。这是一个极端危急的时候。接着，转入第三阶段，此时的抗日民主政府提出地主债主须减租减息，佃户债户须依约还租还息，提出保障一切抗日人民的人权及缔结与解除契约的自由，调节地主与农民的利益，缓和双方的紧张局势，地主与农民的斗争亦由非法而转入合法，由秘密转入公开，带危害性的斗争形式停止了。上述的几个问题，都是在第二三两个阶段中发生的。这种经验，对于在全国范围内推行减租减息的政策，是十分有价值的。

当前的具体条件，需要我们实行减租减息。只有这样才能提高农民的生产兴趣与能力。把减租减息撇开不做，而空谈其“耕者有其田”，分明是一种愚弄人民的骗局。减租减息是土地改革的初步，今天我们必须从这个初步做起。

（四）其他的农业政策

减租减息是土地改革的初步，是改善农业的最重要的一着，但这并不是唯一的一着。除了减租减息以外，我们还应实施其他的农业政策。这就是：调剂劳动力；增加农贷；增开荒地；不违农时及提高技术。现在依次述之于下：

第一、调剂劳动力的内容，计有劳动互助、奖励移民、动员妇女、动员二流子、着重优抗、生产给假与军队帮助等项。

劳动互助就是在一村之内，或几村之间，不是每一农家孤立地自己替自己耕种土地，而是在农忙时实行互相帮助。例如以自愿的五六家或七八家为一组，有劳动力的出劳动力，有牲畜的出牲畜，多的多出，少的少出，轮流地并集体地替本组各家耕种、锄草、收割，秋后结帐，一工抵一工，半工抵半工，多出的由少出的按农村工价补给工钱。人口密集的地方，还可集合多少小互助组为一互助社。组与组之间可以调剂；在必要时，社与社之间亦可调剂。劳动互助之好处，不但可使劳动力缺乏的农家能够及时下种，及时锄草与及时收割，就是那些劳动力不缺的农家，也可因集体劳动而使耕种、锄草、收割更为有利。此外，还有一种赶农忙的雇工组织，也是几个人或更多人为一组，向需要的人家受雇而集体地做工，一家完工再往他家，亦能调剂劳动力。在陕北，劳动互助叫做“变工”；雇工组织叫做“扎工”。变工与扎工的作用是很大的，因为几千年来，农民都是分离孤立的个体经济，一家一户就是一个生产单位，这种分散的个体生产，就是封建统治的经济基础，而使农民陷于永远的穷苦。克服这种状况的唯一办法，就是逐渐地集体化，而达到集体化的唯一道路，就是经过合作社。刚才所说的劳动互助，就是农民的生产合作社。这种以个体经济为基础（不破坏个体的私有财产基础）的劳动互助组织，生产工具根本没有变化，生产的成果也不是归公而是归私的，但人与人的生产关系变化了。这是生产制度上的革命，是土地初步改革以后的第一件大事。

关于奖励移民，是要靠政府和人民配合来做的。中国的人口，东南密而西北稀，必须将东南的人口移至西北，移至荒地较多的地区，但这种工作，必须在自愿的原则下，并进行各方面的宣传组织工作，政府也须准备部分粮食借给必须帮助的移民，酌与农贷，并实行一定时期免征赋税的办法；发动老户帮助新户，如借粮，让熟地等，但此项借助应允许出借人享受利息，利率由双方自由决定，同时组织基础好的农户吸收最穷苦的移民伙种，租率不应太过抑低，使老户乐于采纳。

关于动员妇女参加生产。有些地方的妇女至今仍然小脚，大大妨碍劳动生产，但她们仍可参加各种辅助的农业劳动，如种菜、播种、锄草、喂牲、送饭、收割等工作；有的还能做主要劳动。政府应用宣传与强制两种办法，使小脚之妇女放脚，并发动妇女走上生产路线，和男子一同解决增加生产的大问题。

关于动员二流子参加生产，乃是一件很艰苦的说服教育工作。在农村中，存在着不少游手好闲的人。陕北称这些人为“二流子”。动员二流子参加生产，不但增加了劳动力，而且消灭了坏人坏事，巩固社会的安宁。

关于着重优抗，是建立代耕制，替那些缺乏劳动力的抗日军人家属耕种土地。在劳动互助社发达的地方，可以委托互助社解决此问题。

关于生产放假，这是当农忙时，小城市与乡村的某些家境困难的政府工作人员，应每年允许他们回家二次，每次若干天，从事家庭生产。农村中的中学及小学，农忙时须停课，让学生及本地教师回家帮助生产。

关于军队帮助，当农忙时，人民的军队，应就驻地附近替农民耕种若干天，锄草若干天，收割若干天，而不受任何报酬，一则可以调剂劳动力，二则可以借此密切军民关系。

第二是增加农贷。农民为了肥料、种子、耕牛以至于青黄不接时的粮食，往往乞灵于高利贷，而高利贷的盘剥，使农民失去土地，卖妻鬻儿。欲使农民避免高利贷的盘剥，除进行减息之外，还要靠政府的低利放款。中国的农贷，已经举办了很久，但许多地方，多未能使农贷直接入于农民之手，反而成为地主豪绅对农民作高利盘剥之资本。这样的农贷，不但没有给与农民以帮助，反且加强了农村的封建剥削。这是一个十分严重的现象。故我们在这里所要增加的农贷是以实际上帮助农民解决困难为前提的。这就是说，农业贷款必须做到直接入于农民之手，必须与发展生产有密切关系，必须具体的规定用途（当然是农民急需解决的用途）。根据陕甘宁边区放发农贷的经验，办法如下：（一）放款手续要简单，要用当地农民已经习惯的贷借办法，不用借款申请书等手续。（二）不把农贷当作赈灾救济，放款的组织要改善，即经过当地区乡政府（这不能与后方的乡长与保甲长相等，因为这是民选的而为人民服务的机关）及在群众中有信仰的合作社去放款。（三）根据农民的实际需要，经过物资局或性质相同的机构，购办农民所需要的物品——如耕具、耕牛及肥料等，举行实物贷借，减少农民的一些麻烦。（四）不可采取平均的分配政策，贷款应放给那些较困难而又需要贷款的地方或农户。例如荒地较多的区域内，有劳动力而缺乏耕牛农具或缺乏粮食接济的新旧移民及老户贫农，以及土地种得多而无钱雇人锄草的农家，都是应该给以贷款的。

第三是增开荒地。中国各省的荒地很多。不但西北各省如此，就是东南各省人烟比较稠密的地方，亦有一些荒地之存在，我们应该尽量组织农民开辟荒地。在寸土有主的情形下，农民随便开辟，是会受到地主之反对的，因此，各地政府必须作有计划的调查，必须对地主说服劝告，必须替开荒的农民解决许多困难。

第四是不违农时，即在农忙时允许农民停止一切无关农业的活动。谈到这里，那种捕拘壮丁，使农民大量逃亡的役政，那种不顾农民死活，无限量使用农民的劳动力的劳役，都是不该存在的。

第五是提高农业技术。这里所说的提高技术，是从中国农村现有的农业技术与农民的生产知识出发，依可能办到的事项从事研究，以便帮助农民对于粮棉各项主要生产事业有所改良，达到增产目的。在这种条件之下，进行某些改良是可能的，但是，那种与农民脱离联系的改种施肥的办法，因为与中国农民的实际条件相距太远，结果，只能有点缀的作用，只能把促进机关作为研究机关而已。至于那些在现在就高唱农业机械化工业化的人，更是在同广大的贫苦不堪的农民开玩笑罢了。

经过减租减息和这些农业政策，中国的农业是一定可以从落后的水平进到近代化的水平的！

三 工业政策与劳动政策

（一）经济上民主集中的原则

为着打败日本侵略者与建设新中国，必须发展工业。因为没有工业，便没有巩固的国防，没有人民的福利，没有国家的富强。处在殖民地半殖民地的中国，工业是微弱得很的；特别最近一二十年的情形，更加使人痛心！因为在依赖外国和独占统制的路线之下，连这一点微弱的工业，亦沉没在破产的泥坑之中了。这可证明：政治如果不加以彻底的改革，一切生产力都不能避免破坏的命运。农业如此，工业何尝不是如此。没有独立，没有民主与统一，真正大规模的全国性的工业，是没法办到的。

“在新民主主义的政治条件获得之后，中国人民及其政府，必须采取切实的步骤，在若干年内，逐步地建立轻重工业，使中国由农业国地位升到工业国地位上去。中国的新民主主义的独立、自由、民主与统一，如无巩固的经济做它们的基础，如无进步的比较现在发达得多倍的农业，如无大规模的在全国经济比重上占极大优势的工业，以及如无相适应的交通、贸易、金融等事业做它们的基础，所谓新民主主义的独立、自由、民主与统一，是不能巩固的。”（毛泽东语）这是十分正确的看法。中国必须走这一条光明的道路！

为了新民主主义国家的巩固与发展，我们必须大大的发展中国的工业，这是没有什么疑义的了。现在的问题，是如何发展中国的工业，是对于中国的工业资本采取什么态度？

在新民主主义的社会经济中，有四个组成部分。这就是：国家资本的经济，劳动人民的个体经济，私人资本主义的经济和合作社的经济。在这里，劳动人民的经济是以农业与手工业为主体的；初期的合作社经营，恐怕亦要以农业与手工业为主体。至于国家资本，将在工业矿业与交通方面，进行大量的发展；而私人资本，亦是就工矿事业而言的。故提到发展工业，就不能不提及那些投资在民族工业的私人资本。

轻视或抹杀民族工业的私人资本，是不应该的。因为“拿发展资本主义去代替外国帝国主义与本国封建主义的压迫，不但是一个进步，而且是一个不可避免的过程，它不但有利于资产阶级，同时亦有利于无产阶级。现在的中国是多了一个外国的帝国主义与本国的封建主义，而不是多了一个本国的资本主义，相反地，我们的资本主义是太少了。”因此，“在中国的条件下，在新民主主义的国家统治下，除了国家自己的经济与劳动人民的个体经济及合作社经营之外，一定要让私人资本主义经济获得广大发展的便利，才能有益于国家与人民，有益于社会的向前发展”（毛泽东语）。

既然国家资本、私人资本、劳动人民的个体经济和合作社，同为新民主主义经济的构成部分，那么，片面发展这一部分而压抑其他部分的办法，分明是不对的了。更明白的说，那种抽象地孤立地去了解发展国家资本，并且以统制独占去对付民营生产事业的政策，分明是不对的了。事实证明得很清楚，统制独占的政策，只能有利于官僚资本，只能有利于那些握有特殊地位的特殊人物之操纵垄断。至于民营工矿事业，则在价格管制、原料管制和成品管制的重重难关之下，极大部分是在死亡线上挣扎。因此，如果不取消这种管制独占的政策，要发展中国的经济，要发展中国的民族工业，显然是不可能的。

废除统制独占以后，将采用什么政策呢？在原则上，我们的主张是：民主并且集中。民主集中制在政治上是指政权构成的形式，在经济上，我们指的是什么呢？

根据前一章的分析，中国要发展国家资本，亦要发展私人资本；要发展合作社经营，亦要发展劳动人民的个体经济。在这里，国家所应做的事情，不是限制压抑，更不是支持大资本压迫小经营，或者让大鱼吃小鱼造成独占垄断的局面，而是照顾全体，根据客观需要加以适当的必须的扶助，使得各种经济能够尽量的发展。这就是民主。但是，经济上的所谓民主，并非绝对的自由放任。国家对于各项生产事业，要发挥其领导与扶助的作用，既然有领导，就不能说是回到亚当·斯密的时代去，不仅如此，国家不仅在发展与扶助的前提之下，发挥其领导的作用，而且还要执行集中的原则。但所谓集中，并不是国家资本之独占垄断，而是在于“使私有资本制度，不能操纵国民之生计”。这就是说，新民主主义的国家对于操纵国民生计的官僚资本，必不能让其继续存在；对于投机取巧的一般银行资本商业资本，必须加以切实而有效的限制。这种集中，对于生产事业之发展，是有利的。综合起来说，一面要让有利于生产的国家经营，私人经营及合作经营有发展的机会；一面又要取缔那些操纵国民生计的官僚资本之作恶为非。这样的原则，既不是独占的，又不是绝对自由放任的。

要发展中国工业，不但要解决国家资本与私人资本之间的问题，而且要合理解决劳资之间的问题，说一句明确的话，这就是提高直接生产者的工作情绪的问题。实际的经验显示得很明白，不提高直接生产者的情绪而望其增加生产量，就等于不提高士气而欲其打胜仗，这是不可能的。生产之发展，诚有待于好的设备、好的机器或工具，但我们断不能忘记掌握机器与工具的是人，如果掌握工具的人并不关心于机器、原料之使用，并不关心于技术之不断改进，那么，生产效果怎能提高呢？要提高直接生产者的情绪，最重要的一点，就是保障他们的利益。工资、工作时间及工作条件等，必须作合理的措理。对于工人这样的保障，在实际上，并不损害资方的利益，反而是在长远的打算上，为资方的事业打下不拔的基础的。至于资方的正当利得之获得国家的保障，亦是不成问题的。即是说，在新民主主义国家制度下，政府将保证国家企业，私人企业与合作社企业在合理经营下的正当赢利，调节劳资间的利害关系，使劳资双方共同为发展工业生产而努力！

（二）国家资本的范围

在新民主主义的经济中，国家资本和私人资本同为其构成部分，两者必须同样的发展，但是，它们之间将如何划分呢？对于这个问题，我们要以孙中山先生的主张为原则。在国民党第一次全国代表大会的宣言这样的写着：

> 凡本国人及外国人之企业，有独占的性质，或规模过大为私人之力所不能办者，如银行、铁道、航空之属，由国家经营管理之，使私有资本制度，不能操纵国民之生计。

如果把国防事业包括在内，则政府所独营的经济事业，当可有下列几项，这就是银行、铁道、航空、邮政电讯、兵工厂、飞机制造厂及大规模水力发电厂。其次，凡为民力所不胜任，或政府认为须特别重视之事业，如大规模石油、钢铁厂及航运事业等，亦可由政府经营或与私人资本合办。

在第二章，当我们在检阅国家资本的时候，熟悉了中国的国营事业，充满着腐烂的官僚主义，效率很低，出品很少，而冗员则尽量的增多，开支则庞大的耗费。从满清的同光新政一直到现在，国营事业依然保持这种黑暗而腐败的传统。在这种情形之下，国家资本的扩大，乃是官僚机构的扩大。这对于国民经济，不但没有一点好处，反而增加了人民的负担与困难。因此，我们在这里所指的国家资本，是以新民主主义的国家为前提的。

亦就是说，在民主改革的前提之下，必须彻底整顿现有国营事业的机构，毫不留情的裁去冗员，然后才能提高效率，增加生产以至改善品质。

现在应该谈到国家资本与私人资本如何合作的问题。公私合办的企业，或者以私股为主，然后参加国家资本；或者开放国家资本所经营的企业，容纳私股。在公私合营的企业中，国家资本之是否参加，是以该业是否为国民经济所急需，应否特别重视为原则。如果认为某一企业在国民经济中占重要地位，或为某一时期所急需的，则国家应以投资的方式，扩大其生产规模，使能发生其应有的作用。这是指某一事业而言的；至于某一事业中的某一公司之是否能获得国家资本之参加，则应以该公司之规模、效率及生产能力为标准。某些企业之公私合办，并不是一种新奇的主张，实际上，现在早已进行了。在这里，我们与某些人在理论上相去并不太远，但实质上，差异点是很重大的。人们利用国家资本以肥胖其一己的官僚资本；而我们则是坚决反对官僚资本的。国家资本之是否投资于某一企业，完全以客观的需要为前提，绝对反对那种不问客观需要而以便利官僚资本之操纵垄断为中心的办法。

政府与私人合办的事业，应采用公司制度。在这个公司中，对于业务及人事之管理，绝不能超出股东地位之外，绝不能带入一点衙门的作风。这种应被否定的做法，现在正在大后方各种公私合办的企业中扩展着。它侵蚀了私人资本，亦糟蹋了国家资本。这是应该彻底铲除的。

在新民主主义的经济中，基本上，国家资本与私人资本的企业，可以避免竞争轧轹的现象。因为国营企业与私人企业，在国家的整个计划（当然不是包办一切的计划，而是指导扶助的计划）之下，可以获得合理的调整与分工。那些国营民营同时并存的部门，国营企业仍如民营企业一样的待遇，不得享有特殊权益。这就是说：政府所经营的事业，无论单独经营或与私人资本合办，其具有商业性质的，均与同类民营事业之权利义务，同一待遇。事实的经验，很早的告诉我们，大后方国营企业的特殊待遇，并未能使国营企业有特异的发展，反而使那些掌握国营企业之人，有恃无恐，不去致力于经营的改善，甚且利用这种机会，上下其手，从中作弊，这么一来，就更加腐烂了。而在另一方面，国库的收入，则因此而大大减低；民间企业的负担，则因此而大大增加。这种毛病，在表面上，是被人们所承认了的，但实际上，却在种种形式之下，仍然继续着。因此，要使国家经营企业化，就必须实实在在，使国家经营与民间经营站在同一条件之下竞赛。

（三）扶助劳动人民的个体经济

对于新式工业的私人资本之扶助，只是发展工业经济的一方面，除此之外，还有劳动人民的个体经营，亦是属于私人资本的。乡村的富农和散处在各地小市镇的手工业者——特别是那些雇用几个帮手的作坊，都是带有资本主义气味的。就是那些自己具有生产工具和生产品的小商品生产者，亦是资本主义的前驱，它不可避免地要产生资本主义。所不同的，在资本主义之下，生产工具与生产品，不属于生产者；而在单纯商品生产之下，生产工具与生产品则为生产者本人所有罢了。

在数量上，劳动人民的个体经济，是占绝对优势的。不要说农业，就是手工业，其数量之庞大，亦是可惊的。

为了发展工业，我们对于这些散处在各地的手工业，将采取什么态度呢？根据客观的事实和需要，对于它们，应该采取扶助和推进的态度。

对于手工业以至其他一切小商品生产者的态度，旧民主主义的经济与新民主主义的经济，是完全不同的。旧民主主义所走的道路，是以资产阶级所有的大工厂去代替他们。在这里，无数的手工作坊或先或后地沉沦下去了，无数的手工业者与广大的农民一样，变成大工厂的雇佣劳动者了。破产死亡和疾病，就是他们必然的运命。新民主主义所走的道路，则是在扶助他们，减少他们的困难，使他们避免被大工厂吞没的运命。具体的办法是：资金的扶助、原料与工具的供给、运销问题之解决，一直做到走上集体化的道路。这就是说，合作社经济就是劳动人民个体经济的前途。

现在将几个必须注意的问题，分别在下面说一说：

在资金上，现行的办法是所谓工业贷款。但“工贷”是与一般手工业者无关的。现在的“工贷”，只着重于较大的工业，特别是那些与官僚资本有关的工厂。这种有利于官僚资本的“工贷”，不但没有沾及手工业，甚且连中小型的新式工业，亦是没有缘份的。以“工合”的贷款而言，那是以工业合作社为对象的。没有组织成为合作社的个体经济，当然不在“放款”之列。因此，许许多多的手工业者，都受到高利贷的盘剥。为了使他们的生产能维持下去，发展下去，新民主主义的国家，必须在资金上给与他们以帮助，就是说，在工业放款中，必须有他们的地位。

原料与工具方面，亦为手工业者的困难问题。有许多手工业，它的原料是与大工业相同的。如手工纺织业就是一例子。手工业纺织业需要棉花和棉纱；机器生产的纺织业亦需要棉花和棉纱。手工业的资金当然不能与机器生产的纺织业匹敌，因之，原料常常感觉到困难。抗战八年以来，后方手工纺织业之沦于破产，这是一个重大的原因。工具方面亦是不可忽视的。手工业的工具虽然简单，但在发展的观念上，工具的改进，实有必要。如以纺织业而言，原始的手摇机可以改为木制的“七七纺纱机”等等。不过工具的改进，恐会成为一个问题；就是以原始的手摇机而言，在落后的地区，亦是不易多量供给的。因之，要发展手工业，工具之改进与供给，是不能说没有问题的。新民主主义的国家，必须注意到这一方面。如果在手工业放款中，以实物放发——即放发原料及工具，则手工业者就可以减少购买原料和工具的困难，减少中间商人的剥削而能更顺利地开展其生产了。

在运销上，手工业者的困难，亦是很大的。抗战以来的八年，运输是一个严重的问题。在这里，大工业亦是感觉到困难的，不过，手工业的困难是更大了。至于销路，问题似乎不大。战时物资缺乏，销路本可无问题，但因物价涨得太凶太快，社会购买力降低之故，手工业者的出产品，亦有“何处去”的痛苦。抗战胜利之后，社会购买力并没有什么提高，而外国进口或外资在华设厂所出之商品必定广泛而深入的大量泛滥于市场。在这种情形之下，抗战以前的局面又要呈现了。措理这个问题的主要办法，是在于实施灵活的保护政策。这种保护政策所关系的不单是手工业者的问题，而且是整个民族工业的问题。故在保护关税政策之外，在国内市场上，还应解决手工业者的运销问题。运销方面的最好的办法，是组织运销合作社。因为个体的手工业者产量有限，资力有限；以有限的产量和资力，在运输上是不经济的；在销售上更没法对抗大商人之操纵。运销集体化就可以避免这些困难，就可减少耗费，增加利得。

在生产上，除了解决资金、工具及原料等问题之外，最好是使广大的个体经济，走上生产合作之道路。手工业的合作社较诸农业生产合作社是来得更为容易的。农业方面在“变工”及“扎工”等等办法之下，已顺利地开展初步生产合作了。分散的小农生产，既已开始走上集体的道路，难道手工业反而不可能么？在政府的资助之下，经过说服的办法之后，手工业是可以广泛地组织起来的，把许多手工业组织在一起，就可从“单纯协作”到“复杂的分工”。如果这样，生产规模及组织，必定可以提高一步。已经成立了好几年的中国工业协会，应该负起责任来。可惜的是，“工合”早已变成一个有名无实的官僚机构，已变成为“吃合作饭，做合作官”的人物的衙门的。归根到底，这是整个政治环境所造成的。在新民主主义的国家里，政府对于合作社的事业，必定给与极大的扶助与推动。对于各种合作社，必定在资金、税制以至运销方面，给与种种的便利，必定训练大量的有为的青年干部，去从事这一项工作。

对于劳动人民的个体经济，合作社是一条康庄大道；对于私人资本的中小型生产，联营或合作亦是一条避免被大资本所倾覆的道路。但，这并非强迫所能形成；我们的主张是以自愿为原则的。

劳动人民的个体经济，在数量上，占着压倒的优势，因之，在新民主主义的经济中，将会占着极其重要的地位；在新民主主义的国家中，一定把扶助他们，减轻其困难，并组织他们走上合作社的大道作为经济政策的极其重要的环节。这是可以断言的。

（四）发展工业的资本问题

为着发展工业，需要大批资本。这批资本，将如何筹措呢？

对于这个问题，我们认为有三方面可以供给。第一是中国自己积累的资本；第二是友邦的借款或投资；第三是敌人的赔款。兹分述于下：

关于第一项：这是建设新中国的工业底主要来源。有不少人对这一项发生怀疑。他们根据战前中国工业资本的估计，仅十一亿四千万美元（制造业和运输业各约五亿一千万美元，公用事业八千万美元，矿业四千万美元），在其中，外资约占百分之七十四；民族资本约占百分之二十六。一个四万万五千万人口的国家，其工矿交通事业的民族资本只不过数万万美元，则这个国家筹措资本能力之小，是可以想见的。这种说法，只是看见问题的一方面而已，他们并没有从全面去把握。第一，他们只从战前的民族工业资本本身作估计，而没有看到在新民主主义国家之下，我们将进行全国性的土地改革。在土地改革之后，农民将会从封建剥削解放出来，他们将会有更大的兴趣与能力去提高其生产，农产增加了，农产物之出口亦可跟着增加了。农产物出口越增加，则我们越可以把所得之外汇，购置各种需要的器材，作为工业建设之用。中国在战前之农产出口，数量诚然有限，每年则在二万万五千万美元之间。但这种状况，绝不是天然的固定的，毋宁是由于帝国主义与封建势力之携手剥削所造成的农村经济破产的结果。只要把这些原因去掉，只要把农民引入合作社的道路，并为其解决种种困难，则农产出口之增加，定可以加倍地发展的。第二，中国是一个农业占优势的国家，地主每年从农民括削了巨量的地租，在战前，地主每年从农民剥削之地租约在一万万元之间，如果以战时的谷价来换算，那就更可惊人了。过去和现在，地主是把地租用之于购买土地、放高利贷、囤积居奇和烟酒嫖赌的。在新民主主义的政权之下，我们将设法引导地主的资金入于生产。当然，这是一个艰难的过程，但并不是完全无望的。只要造成这样一个环境：买地收地租的利益，比不上投资于工业的利益。更具体的说，只要我们切切实实从二五减租做到“耕者有其田”，便可堵住地主购买土地作封建剥削之门；只要我们在工业方面，施行一种奖励民间投资的措施，便可使地主的资金大量地流入工业中去。现在的陕甘宁边区，已经获得初步的成绩了。在全国建立新民主主义的国家之后，这种成绩，这种趋势，将会不断地扩大的。第三是都市的游资。都市的游资，在战前早已显赫地在经济领域中作祟了。抗战以来，它的规模，更加庞大。伍启元先生曾作这样的估计：

由于战时通货膨胀，物价上涨，及走私贪

污种种影响，国家财富逐渐集中到少数人的手上；财富集中到少数人手上之后，可以用作经济建设的资本便大为增加。把自由中国和沦陷区的富裕阶级都算在一起，到了战争结束时，我国富裕阶级在抗战过程中所积聚的资本至少将有三十亿至四十亿美元，其中至少有十亿系外币资本。

这些特种人物的巨大财富，亦可算是工业资本的原始积累。第四是工业自己的资本积累。在这里，应该把机器生产和手工业生产统一起来看。数万万美元工业资本的滋殖诚然有限，但应看到它的发展；散处在各处的手工业的产量亦诚然有限，但“集腋成裘”，把它们组织起来之后，亦是未可轻视的。第五是胜利以后，沦陷八年的关内沦陷区与沦陷十四年的东北，又复回到祖国的怀抱来，特别是东北九省，它是中国惟一可以在短期内积聚巨额资本的区域。东北的收复，将对我们经建资本的筹措有极大的帮助。第六是“在战争的过程中，国家亦聚集了不少的资本，一方面英美等友邦曾把巨款借给我国，其中虽有不少已用低廉的代价出售给国内的富裕阶级，但国家还保有一部分；一方面美国驻华的部队，其在华所用款项先后以美币支付，这个数目系以万万美元计算的；一方面政府在抗战过程中尝对工业及若干经济事业投资，这些国营事业虽然有不少在战争结束时无法维持，或至少系无法赢利的，但其中，也必有一部分可以在战后产生若干新的资本。”

综合这六方面看来，依靠中国人民自己积累的资本，不但不是不可能，而且可以成为主要的一项。这就是说，在工业资金方面，我们仍不能离开以自力更生为主的原则，但不幸得很，目下有不少人却把视线集中在外资上，却把希望完全寄托在友邦的身上。公司法中之采用“属地主义”与中外合资事业中之废除外人投资数额的比例，就是再明白也没有的证明。其实，外资并不是不可利用，问题是在于如何把它放在适当的地位罢了。我们的政策是“主要地依靠中国人民自己积累资本，同时借助于外援”，是以自力更生为主，而以争取外援为辅。这与那种以外援代替自力的政策，是明明白白不相同的。

现在谈谈外资的问题。

在战后复员期间，友邦——特别是美国，将有大量剩余物资可供中国经建之用。

谷春帆先生曾于《大公报》发表“美国复员后剩余资产对中国经建之关系”（三十四年三月十一日）谓美国在战争结束时，将有军事生产的设备物资原料及成品约值一千亿美元，其中可以适合落后国家经建之用的，约二百七十亿美元。又根据是年三月十一日美国对外经济处官方所宣布消息，美政府已完成一项十亿美元的计划，准备于战后帮助中国建筑工厂九百五十三所。除了这十亿美元外，美国官方将来还可能有所增加。除了美国以外，其他友邦亦是可能借款的。其次，我们还可向行将成立的国际银行借款或经由国际银行而借用外国的私人资本。根据国际银行的摊额总数，放款及保证放款的限度，和中国的摊额数目，中国可能由国际银行借得十五亿至三十亿美元的放款。同时，外国私人资本有一部分将不经过他们的政府，亦不经过国际银行而对华作直接投资或间接投资，直接投资的方式为开设工厂和经营事业，间接投资的方式是购买中国公私债券，作生产工具贷款或商品贷款等等，以中国本身的利益而言，间接投资是较直接投资为有利的，至于合资经营亦可说是属于直接投资的范围。这个方式，将来恐怕在许多企业中实行着。直接投资必须以服从中国法令和有益中国经济为条件。这个前提，是万万不能看低的。

最后一项是对日本的赔偿要求。自“九一八”以来，日本帝国主义给与中国人民的损失，是没法计算的，我们必须要求赔偿。目前要精确地计算日本对华赔偿数额，尚不可能，但据某先生的大略估计，至少要达五十余亿美元。这个数量用之于发展中国工业，是一项不可忽视的资金来源。日本之资本主义的发展，是以甲午战争的中国赔款，一九〇五年日俄战争的帝俄赔款为其原始积累的重要来源之一。我们要发展中国工业，当然不能走着这种旧的道路，但是这次战争完全是日寇侵略所造成的，中国人民的浩劫完全是日本强盗所给与的，我们要他赔偿损失，乃是合理的要求。就以资金之积累而言，我们主要的指望是依靠中国人民自己所积累的资金，外国投资居于次要的地位，赔款又其次了，这是新民主主义国家对于工业资金的基本态度。

（五）保护工人的利益

要发展中国的工业，不但要解决国营和民营之间的问题，不但要解决中小生产与大生产之间的问题，不但要解决资本、税制以及技术（税制问题在后面再行论及）的问题，而且亦要调节劳资之间的关系。因为工人是工业中的直接生产者，掌握技术，使用机器，以至措理原料，都是他们的任务，如果没有照顾到他们的利益，而要提高生产，显然是不可能的。

中国工人阶级自第一次世界大战以来，就开始以自觉的姿态，为中国的独立、解放而斗争。一九二一年产生了它的自己的先锋队——共产党，从此以后，中国的解放斗争便进入新阶段了。二十余年来，中国工人阶级及其先锋队，对于中国人民的解放事业，作了极大的努力与极有价值的贡献；在最后消灭日本侵略者的斗争中，特别是在收复大城市的斗争中，中国工人阶级将起着极大的作用。在抗战胜利以后进行建立新中国的时候，中国工人阶级将起的作用，一定更加大，那是可以断言的。中国工人阶级的任务，不但是为着中国的独立、自由、民主与统一而斗争，而且要为着中国的工业化与农业近代化而斗争。

在新民主主义的国家制度之下，将采取调节劳资间利害关系的政策。这就是一方面保护工人的利益，同时，在另一方面则保证国家企业、私人企业与合作社企业在合理经营下的正当权利。对于劳工利益的保障，将采用下列各项措施：

第一，在工作时间方面，现在各地大多在十小时以上，大后方的工厂甚至有做到十四小时至十六小时的。这对于工人阶级之摧残是太厉害了，为了工人的健康，为了工作的效率，对于工作时间，必需作合理的解决。但是，各地的情况并不一致，在工作时间的措理上，亦不能机械地把它划一。八小时工作制，行之于平日的城市中，有着它的积极作用，它可以促进资本家改良技术，引用新式机器，推动生产前进，但在战时，特别在生产落后的地方，实行八小时工作制，只会促成那些半机器化的少数工厂，工场手工业以及手工业（有学徒的）之破产而已。故在生产比较落后的地区，除了最艰辛的矿工之外，一般的工作时间，是不能低于十小时的。如果从全国的范围来说，我们对于工作时，尚未能简单地划一地规定为八小时，只能提出八小时到十小时的工作制度。有些人完全不顾客观事实，片面地规定八小时制，这不外是骗人的高调罢了。

至于农业中的工作时间，基本上是服从于季候的。有时必须很忙（如雨后的耘耕播种，成熟后的收获），有时则又工作较少（冬季农暇），因此，不但不能实行八小时工作制，就连十小时工作制都不能实行。事实上，农民根本上无所谓几小时的时间，只能是日出而作，日入而息。入夏保持午睡，紧急时则在早晚延长工作时间。这种习惯看来极不科学，但既合乎农业生产的实际，亦只好采用了。

第二，在工资问题上，必须注意工人的实际收入。这就是说，不仅在货币工资上注意它的数量，而且要在实物工资上注意它的数量。在币值下跌的时候，为了保持工人的实际工资有一定水准，为了避免这种对劳资关系和工人生活的纯害无益的动荡，最好是实行半实物工资制，即用货币粮食各一半偿付工资。供饭的工厂，所发的粮食可以供养工人的家属。在币值稳定的时候，就不必使用这种半实物的办法。这是因时因地而不同的。

关于最低工资问题亦是不能放松的，但对这个问题亦不应作单一的硬性的规定。各地物价不同，人民生活水准不同，各地劳动力的供求关系亦不同，故不能规定一种可以普遍地在全国通行无阻的最低工资或一般工资。但有一个原则是不能不顾及的，这就是一个工人除了他自己由雇主供给伙食外，他的工资最低限度应能维持二个人的生活。其他类推。至于农村雇主每年究应发给雇工几套衣服、几条手巾、几双鞋袜，则依照各地习惯，加以保持或稍有增加。

第三，对于失业，政府要拨款救济。这种救济经费不能是临时的，它在国家每年预算中，应该有它的一定的地位。但进一步来说，失业问题的解决，基本上依靠帮助工人就业，这就是从发展生产去扩大劳动雇佣，或者以低利或免利放款，协助工人组织合作社。

第四，除失业救济之外，政府还应有计划的提出基金作为工人的社会保险，以减轻工人的失业、婚姻、子女教育费、疾病及死亡等事件的困难。

第五，是必须实行工人有组织工会的权利。工会必须由工人自己组织，才能代表他们自己的利益。只有工人握着组织工会的权，才能使工人的种种的利益，得到实在的保证，才能对厂方进行集体合同，才能使劳资间所发生问题得到适当的解决，才能提高工人对于生产的热忱。故工会权利实为劳动政策的重要的保障。

实行这些劳动政策，并没有动摇资本主义的私有权，只不过是调节双方的利害关系罢了。这种调节，不但不会损害资方的利益，反而在生产上将给与极大的推进。生产的推动与提高，难道不是厂方或雇主的利益么？

四　贸易运输政策

（一）需要贸易运输的配合

我们的农业政策是在使中国的农业从旧式的落后的水平进到近代化的水平；我们的工业政策是在使中国工业化，是在使工业在全国经济的比重上占极大的优势。发展工农生产事业，是新中国在经济方面的基本任务，但，这些基本任务并不是孤立地可以完成的，它们需要交通及贸易来配合，来相适应。因为没有贸易运输去配合，生产事业就不可能发展；没有贸易运输去配合，生产事业或者会找不到原料，或者没法销纳其生产成品。故在农业政策工业政策之后，我们必须进而讨论新民主主义国家的贸易政策和运输政策。

所谓贸易政策是包括对外贸易和国内贸易两方面。不论对外贸易也好，国内贸易亦好，过去与现在，中国都处在极困难的境地。中国的对外贸易是以入超为特色的；中国的国内市场则在人为的种种障碍之下，被分割成为许多脱了节的单位。林立的关卡与沉重的苛捐杂税，使国内市场一年比一年的缩小了。要使中国经济有转机，就必需在发展工农生产的前提之下，增加出口并扩大国内市场。扩大国内市场是与提高广大农民的购买力互相表里的；增加出口贸易则可使中国获得更多的外汇，换取更多为发展生产所必须的物资。

对外贸易与国内贸易是密切相关的，没有扩大国内市场，没有提高农业工业的生产，就没法增加对外输出，亦没法增加有利的国外输入。现在和过去的中国国内外贸易，是尖锐地、强烈地处在一种矛盾的状态之中。对外贸易是入口多而出口少；在国内市场中，国货土货走头没路，而外国货物却涌进到穷乡僻壤去。入口贸易越多，中国国货的国内市场亦就越缩小。新民主主义的贸易政策的主要任务，必须扭转这种逆势，必须克服这种矛盾。这就是说，必须使国外贸易与国内贸易的关系，作合理的调整，必须使国外贸易以国内市场之扩大（指提高工农生产而言）为前提。

对外贸易与国内贸易是密切相关的，但在内容上，两者却并不相同，因而在措理这个问题的态度上，亦是不能一致的。对外贸易的对手，主要是一些强大的资本主义先进国家。比较起来，对方是处在优势的地位，而中国则处在劣势的地位，处在入超的负债的地位。要克服这种弱点，只有用集体的力量，即是说，用新民主主义的国家管理；而同时，为了使对外贸易有利于国内建设，亦非由国家作有计划的措理不可。反之，国内市场的主要任务是在于把它扩大，是在于铲除那些不利于“货畅其流”的因子。因此，国家的管理不是必要的——为了反对大官僚资本之垄断操纵，国家在市场中的组织与调节作用当然不可缺，但从国内市场的总方向看来，发展贸易自由是占主要的。故国外贸易的政策，基本上是与对内贸易不相同的，一句话说，对内自由，对外管理，这就是贸易政策中应该区别的重要特点。

贸易政策的另一个任务，是公私兼顾，互助合作。现在有不少人以发展国家资本的堂皇名义，在对外贸易的领域中，进行其对于私人资本之残害。这种办法，并没有使国家资本得到丝毫的利益，而在另一方面，私人的对外贸易和与出口贸易有关的一些小商品生产者，却被压得喘不过气来，歇业破产，便成为他们的最后一条路。因为国家的经营机关，握在这些特殊人物的手里；国家资本又在他们的掌握之下，发展国家贸易的结果，不是使这些假公济私的人，肥胖起来了吗？抗战八年以来，后方对外贸易的管制独占，就把这些毛病和盘托出来了。就是退一步，假定这些人并没有假公济私，只顾国营而不顾民营，在这个阶段，亦是不应该的。因为在生产方面，我们既然扶植中小生产，既然容许私人资本之发展，则在贸易方面，自然不能不容许私人贸易公司之活动了。一如在生产方面一般，新民主主义的国家，不应单单照顾国家的贸易机关，而且要照顾私人的贸易公司。只有公私兼顾，互助合作，才能在贸易竞争中，为中国经济，打开一条出路来！

所谓对内自由对外管理，所谓公私兼顾互助合作，都是以扩展国内外的贸易为任务；而这个任务的内容，则为配合农业工业，推动生产建设。故贸易政策之最大目的，明显地是在于辅助生产。在这里，我们要做到广大的中小生产者在生产之后能作有利的交换；要做到新兴的工业能获得广大的市场；要做到减少逆势的贸易以至平衡国际收支；要做到输出最多的出口品，换得更多的有益于发展生产的器材物资。换言之，过去和现在这种输入奢侈品，残害中国工农业生产的贸易，是新民主主义国家的贸易政策所必须加以铲除的。

要使贸易畅达，又必须以交通运输为其重要的条件。如果交通困难，则咫尺之隔，亦将宛如天涯，在这里，贸易事业自然不得不受到影响了。这是抗战八年以来的事实所证明的。因此，我们在讨论贸易政策的时候，就不能不从货运方面的观点，进而讨论到交通运输政策了。

（二）有计划的对外贸易

中国的国际贸易政策，决不能走英国自由贸易的路线，亦不能片面地像战前德法诸国采取的完全关门的高度关税；更不能保持现在所执行的误国害民的官僚主义的“统购统销政策”，而应该采用一种有计划的贸易政策。

为什么呢？

为什么中国的国际贸易不能走英国自由贸易的路线呢？所谓自由贸易，就是进出口货都不征税，让各国商品自由竞销于本国市场。英国自十八世纪以来，所以采行这种政策，是因为英国乃是资本主义的先进国。当法德美诸国刚刚走上工业革命的初阶时，英国已快走完工业革命的过程了。它的商品，特别是棉织品，价廉物美；加以它又握有大量的船舶，控制了海上的运输权，竞销起来，自然处处胜利。反之，工业落后的国家，因设备与技术之劣拙，资本有机构成比较先进国是低得很多的，因此，其所制出的商品，必定价昂而劣，在这种条件之下欲与工业先进国竞争，当然是会失败的。因此，工业落后的国家，像十九世纪的德国，便采用保护关税而屏弃自由贸易了。第一次大战以后，就是英国，亦采取部分的保护贸易政策。

中国是一个工业落后的国家，如果采用自由贸易政策，只有助长外国商品对本国工农业之煎迫而已。第一次世界大战的几年间，英美诸国忙于战争，暂时停止东顾，因此，中国的工业制造品，尤其是纺织业，亦就逐渐兴盛起来；到了一九一九以后，英美的商品又东来了。外国商品——特别是日本商品的压迫，使中国的纺织业就崩溃下去。这一段辛酸的故事，证明自由贸易政策是不利于中国的！

为什么中国的国际贸易政策不能走完全关门主义的高度关税呢？因为过分的提高关税，就会妨碍国际贸易的发展。第二次世界大战以前的壅塞不通的状况，就是由于各国的高度的关税壁垒而来的。这次战后必将是一个和平合作的世界，国际金融货币会议与国际通商会议的主要精神，就是在此。故过分的提高关税，是与这个和平合作的精神矛盾的。其次，保护政策与高度关税，在意义上并不完全一致，高度关税而没有真正保护新兴工业之作用者甚多；并且高度关税未能阻止输出国之输出奖金办法，就以它的积极意义而言，纵然它确能保护新兴工业，但各种器材进口之数量，是否能切合经济建设之需要，非必需品及奢侈品是否能绝迹于我国，都是很成问题的。最后还有一个现实的问题，这就是：我国战后的经建资本虽则主要地依靠自己之筹集，但借助于外资，亦是不可忽视的。过分的提高关税，将使我们在借助外资的时候，遭遇到困难。因此，片面的提高关税，并不能使中国适合于战后和平合作的世界。

为什么目下所实行的统购统销政策更不能采用呢？因为在目前这种官僚政治之下，统购统销的成绩，除了减少生产和缩小出口以外，任何一点好处亦是没有的。官僚们只知道肥己，只知道损人利己。在统购的时候，拼命的压低价格，并且“购而不给钱”，到后来竟演成了“统而不购”的现象。在这种情形之下，出销商品如何不衰落呢？三十四年重庆市商会四团体的说帖中，沉痛的指出：

> 桐油全国产量，约一百五十余万担，战时后方生产尚应产七八十万担，自被统购统销以来几等于零，无可统购，始允放宽。……蚕丝全国约十万担，战时后方应产二三万担，自被

统购统销以来，每年减至二千余担，不及十分之一。……猪鬃全国年产十二万担，战时后方尚应产七八万担，自被统购统销以来，年产不过二万余担。

寥寥这些数字，就足够把统购统销制度的恶果和盘托出了；如果再把复兴公司直接破坏外商和中国出口商的交易的情形加进去，则统购统销的摧残战时对外贸易，是再明白亦没有的了。像这样，我们还能让这种误国病民的政策，保存下去么？有人以为在理论上，统购统销就是国营对外贸易之实施，只有国营对外贸易才能使中国在国际经济中站得起来。他们的证据是：苏联所以能有如此成就，国营对外贸易乃是其中原因之一。从苏联的情形来说，这是对的，但从中国说来，却就未必对了。因为中国还不是社会主义的国家，中国还要发展私人资本。既要发展私人资本，就不能将对外贸易完全由国家独占了。

因为上述各种政策，都不适于中国，故我们必须采用一种具有保护关税作用的有计划的贸易政策。为了发展本国的工业，保护是必要的，但单靠保护政策，并不能解决问题，所以我们必须进一步采用有计划的贸易制度。有计划的贸易制度能使进口物品之数量及种类适合于国内的生产建设之需要，能调节出口物品内销外销之数量及国内外市价之差别；就其对于整个世界的计划贸易而言，计划贸易是能够与之配合的。因为整个世界的计划贸易乃以国家为其单位。所以，有计划的贸易并不会阻止英美对华的投资。

严格的计划贸易政策是以国营对外贸易为主的。这就是以私有制之取消、公有制之建立和计划经济的实行为基本条件的。苏联的国营对外贸易，就是如此。新民主主义的中国，显然还没有这种条件，故我们之所谓有计划的贸易，只有相对的意义而已。在这里，国营对外贸易只是对外贸易机构中一个主要的构成部分罢了，除此之外，还可有民营的对外贸易的组织。这就是说，在新民主主义国家中，对外贸易在原则上可定为国营，但政府在能力有所不及而须集中其力量于某些重要商品之进出口时，得将其他一些商品之输出入，委托民营各进出口商行代为经营。这些民营进出口商行得与国营对外贸易公司或其他贸易主管机关签订长期合作合同或短期合作合同，并应受后者之指导。国家的贸易公司必须绝对排除这种“低价收购”或“统而不购，购而不给钱”的现象，它必须以一种有利于生产者的价格，直接向生产者收购外销物品。这与现行的统购统销虽然在制度上差不多相像，但在内容上，却是大大不同的。因为现行的统购统销政策是损害人民压迫生产，而新民主主义的国营对外贸易则以照顾人民利益，促进中国生产事业为任务的。

民营进出口商行以经营国营贸易机关所经营以外的商品为任务，在进出口贸易中，国营与民营是有合理的分工的。就是国营机关所经营的商品，在一定的条件之下，亦可与民营商行共同经营。

为了使全国的进出口贸易，贸易主管机关依照国内生产建设的需要，于每年或每季之初，公布全年或全季拟行输出或输入之物品种类及数量。除国营机关负责输出入者外，余可由各进出口商自由输出入；各进出口商行应将其所拟输入或输出之物品名称数量，事前向主管机关登记。这是国家对于全国贸易的指导的办法。

在这种管理指导的办法之下，还要辅以保护性的关税政策。政府对于重工业器材，应规定免税输入；对于奢侈品，应以极高税率限制其输入；对于其他物品应按照国内需要程度、国内各项产业所需之保护程度，规定其进口税率之高低。至于丝、茶、桐油、猪鬃等农产品及钨、锑、锡、汞等矿产品，在原则上，应奖励其出口。但，我国工业化的程度将来必定日益进展，对于这些矿产品之需要上必年年不同，为保障这些出口品对于国内需要之正常供应及筹集出口振兴基金起见，出口关税似亦不应完全取消。

至于对外国订立商业协定，应以上述的精神为基础。目下有不少人主张：根据国际平等互惠的原则，与有关国家，签订互惠协定。对于我们需要的物资，或不妨碍我国工业生产的物资，予以减税的优待；同时，我们输入该国的物资，也要取得同样的待遇。这种见解，在理论上是对的，但应知道中国是一个工业落后的国家。很少出口品可以同人家匹敌。故在订立商业互惠协定时，必须注意到问题的实质，若单在表面上用工夫，则要不吃亏是不可能的。

（三）扩大国内市场

对内贸易应以扩大国内市场为任务。所谓国内市场即是商品生产和资本主义发达的意思。如果离开商品经济，离开资本主义的发展而谈国内市场，那是不可思议的。因此，扩大国内市场就是意味着：

第一、是广大农民从封建剥削之下解放出来。解放了的农民，不再把大部分的生产品献给地主而成为独立的商品生产者，他们必能提高其生产能力，必能提高其购买力。前一点使城市获得更丰富的粮食和原料；后一点使工业生产品获得广大的销路。

第二、除了农民成为独立商品生产者这一因素之外，广大的手工业者的发展，各种各样的合作社之发展，都是有关的，都是扩大国内市场的因素。

第三、是新工业的问题。中国的新工业发展之后，它就需要更多的原料，更大的贩卖市场，这亦是扩大国内市场的不可轻视的因素。

上述三点，是根本从增进生产、从提高广大人民的购买力去探讨国内市场之意义的，关于这些方面，我们已经讨论过了。现在我们所要谈的是比较狭隘的一点问题。这就是人为的封锁与割据，使国内市场划为许多细小的单位；这就是林立的关卡，沉重的税捐和种种敲榨拖延，使成本加重，“货运壅塞”。在战时，因为敌人的蹂躏和分割，国内市场之破碎，那是无可避免的，可惜的是，除此之外，还有封建势力的作祟。一个乡公所，竟设卡船检查；一个当地驻军单位，竟可公然挂旗包船走私。三十三年桂柳撤退的时候，资源委员会赴桂林抢运物资五十二吨半，其中私人物资计十五吨，自桂林至重庆之海棠溪，沿途经七十一次之盘查与留难，付出七十一次之“黑钱”；至于私人之所属之十五吨，付出之运费及“黑钱”可在重庆购买同样货物十三吨。这种情形并非只属于战时，在平常的时候，盘查留难亦是没有多大减轻的。故要扩大国内市场，必须铲除这个因素。这就是说，必须除去内地关卡，取消内地税捐，使货运能自由流通。

中国是一个中小生产占优势的国家。这些小商品生产的市场活动，其发展情况是盲目的，无政府状态的。投机商人、高利贷者、兼营商业的地主和巨富，往往操纵市场，囤积居奇以剥削人民，而人民这方面呢？他们并不知道市场上的需要如何，如果没有真正为人民利益的机构来指导他们去调剂他们的商品，这就更便于投机商人来操纵剥削；就会使人民，特别是农民手工业者蒙受重大的损失了。因此，在新民主主义的国家中，我们的国内贸易的首要任务，是在于使内部市场的发展和活动有利于小商品生产者的交换，有利于农业工业的发展。要达到这个目的，只有依靠国营的企业，国营银行，特别是国营的贸易公司的正确政策，调节市场需要和价格，使国内市场处于一种平稳安定的状态之中。在这里，国家银行、国营贸易公司和合作社的责任是很重大的。关于国家银行我们将放在下一章讨论，现在必须讨论的是国营商业与合作社。

国营商业的任务，并不是与民争利的机关，并不像过去的专卖机关。那些与民争利，甚至侵害人民的专卖机关，是以剥削垄断，误国害民为内容的。这是封建和买办结合的政治环境下必然的产物，必然的恶果。这样的国营商业越少越好，能够完全取消那就更好。但在新民主主义国家中国营商业的作用是完全不同的。新民主主义国家的国营商业，应当成为调节市场需要；成为稳定金融物价的力量；成为与一切投机操纵者作斗争的武器。为着这个目的，有时吃亏亦是必要的。这就是说，国营贸易公司应当时时照顾人民的生产和消费的需要而加以适当的调整。为了适当的调整，没有赚钱甚至亏本，还是要进行下去的。在需要方面，它必须有计划的供给各地需要的物品，不论生产手段亦好，不论消费物品亦好，必须做到各地不感到缺乏，做到各地人民不致因购不到而吃高价之亏。在供给方面，它必须与广大的合作社合作，调节国内各地市场的需要，做到农民与手工业者或生产合作社所出产的物品，不致在一个地方一个时候，吃着因供给太多而跌价的亏。其实，供给与需求乃是统一的，调节了供给，同时亦就是调节了需求。在一方面，保障农民手工业者的生产物的销路，同时，亦就是使缺乏这些物资的地区获得这类物资的供给，不致因缺乏物资而涨价，不致因此而引起金融之波动。其次，对内贸易又是与对外贸易联系的。因为调节国内供需乃为对外贸易的前提。在调节之后，多余的物品便成为外销的东西；而国内市场的需要，又是影响入口贸易的。

国营商业的目的既在于调节市场而不在于独占专

卖，因之，在新民主主义国家中，合作社与私人商业组织是仍然存在的，特别是合作社，必须使之有长足的发展。农业和工业的生产合作，已在上面论过了，现在要说的是消费合作。消费合作社可以保证社员的需要，减除中间人的剥削，但是，如果从供需统一的观点看来，消费合作最好是与运销合作联结起来办，它一面解决了人民的需要问题，同时亦解决了供应问题。有了这种综合性的合作社，人民就可避免商业资本的操纵剥削了。

私人的商业组织，特别是大的商业组织，在新民主主义国家中，是不能采取完全否定的态度的，但必须防止其操纵垄断。中国的大商业多半充满着官僚资本的血液。我们要制裁官僚资本；我们要防止大商业组织之操纵。在这里，新民主主义国家的国营商业与广大人民的合作社之密切合作，是一个重要的保障。

（四）发展交通运输

没有发展交通运输而要发展国内外的贸易，那是不可思议的。过去和现在，中国的国际运输交通，完全握在外国商人的手中，就是沿海以至内河航行，外商轮航亦呈现喧宾夺主的状态。中国与南洋之航行，华商的船只，只有和丰轮公司（有三只轮船）、中暹轮船公司（有二只轮船）、协荣茂公司、中华轮船公司、顺美公司、和益公司及益隆兴公司所备船只自数十吨至千余吨不等，且只能作海岸线航行，与祖国对外运输没多大关系；规模较大的招商、政记、三北、宁绍、肇兴、民生及鸿安等七公司，除招商局外资本皆在二百万元间，没法与外轮竞争。民国二十四年国营招商局以新轮四艘经营渡海航业，终因外轮压迫而没落了。故对于通航欧美之邮船，多属于英、美、日、法、德、意、荷、挪威、丹麦及瑞典等国。以停泊地点而言，对欧航行均以香港上海为终点；对远东航行，则以马尼拉为终点。航运的控制权握在人家手里；而我国对外直接航行的地区又可说没有，这对于发展中国的进出口贸易是有极大的阻碍的。内河最大的航运——如扬子江，日本和英国的船只，几乎占去百分之七十以上。外轮在内河占着压倒的优势，亦就是意味着外货之侵入与中国商品之被逼迫。为了发展中国的国内外贸易，为了增进出口，为了扩大国市场，我们必须从事交通的建设。在原则上，我们认为：

第一，交通建设不仅要注意现在的经济环境，而且要注意，要创造将来的经济环境，这就是说，我们对于交通建设，要有远大的眼光，要着眼于整个国民经济的前途及未来国际形势的展望，要借交通运输之发展去推动整个国民经济并补救矿产资源的偏在及经济发展上的不平衡等缺点。

第二，交通建设之内容，不仅是一个经济问题，而且是一个与国防及外交有关系的问题。故我们对于交通建设，不仅要着眼于经济的需要，而且要着眼于国防及外交的需要。

这是交通建设的二个基本原则，如果具体地来措理这个问题，则我们认为下面几点是必须提出的。

第一，铁路、公路、水运及空运等交通路线，应作合理的配合和有效的利用；全国的有系统的交通线，应以若干经济区域为焦点而配合起来。这些经济区域之划分，是要根据历史、地理与政治文化的条件而形成的，如东北（辽吉黑）、华西（川康黔）、西北（陕甘宁青）、华南（粤桂闽）、华北（晋冀鲁豫）、华东（江浙）、华中（湘鄂皖赣）等，都是自然地形成的区域。交通建设的任务，在于使每一区域的水陆交通能辐集于一二个经济中心。如东北以哈尔滨或辽宁为焦点；华西以成都或重庆为焦点；西北以延安或兰州西安为焦点，华东以上海南京为焦点，华南以广州及厦门为焦点；华中以武汉为焦点。而焦点与焦点之间，区域与区域之间，亦必密切地使其联系起来。建立各地区之交通焦点，乃是在于使交通运输更加密切与深入；使区域与区域间的联系，更加充实与灵活。

第二，战后的交通建设，应照顾到海运、河运、公路、铁路与航空各方面。国外运输，主要依靠海运与航空；国内运输则较多的依靠空运河运、公路及铁路。年来航空运输日益发展，特别第二次世界大战之后，无论机身之构造、性能（速率、续航力、高度与载重量）与燃料，均有新的发明及进步。时速六百里，攀高三万五千尺、载重百吨、航程五千里之运输机，几可成为事实；航线及空运环境，如空港救护站亦有空前的进步。从美国至澳洲，往返一次，海上运输需时二月，但飞机只需四十八小时，飞机运输量虽小，但其往返次数甚多，结果总数，仍属可观。有人鉴于这种优点，便主张中国的交通建设，应侧重于航空。这种看法是应该加以研究的。战后航空诚为重要，我国自应力谋其发展，但空运并非与陆运海运对立，更不能代替陆运与海运。在战后初期，空运之发展，客运重于货运；而货运则仍将以海运及铁路为主，故中国战后的交通建设，不能单单注意到空运，必须将陆运海运及空运配合起来。

第三，在发展国内运输的要求之下，各种交通机关比较起来，铁路建设是比较重要的，铁路运输的优点是成本较低运输较大，并且可使沿路的物产的产销扩展起来，内河运输或可使成本更低，但以中国情形而论，黄河长江珠江以至黑龙江，都是从西到东的。从西到东的纬度相同，气候相同，生产的分工，并没有什么显著的区别，因而从西到东的运输，在经济的意义上，作用是不大的。铁路的建设就可以克服这种弱点。平汉粤汉以至津浦线，都有这种作用，但可惜铁路多偏集于东北及华中华东一带，西北西南，特别是西北的铁路建设，实在太微弱了。故今后的铁路建设应着重于西北。西北铁路之建设，不但可以推动这一带开发，而且可以加强中苏的关系。这是我们必须注意的！

关于交通之经营方式，大体以国营为主，但亦不完全排斥私人之营业。铁路是国营的，渡海航业是以国营为主的，内河航业与公路运输可准许私人经营。航空呢！为促进起见，似可提倡佣雇及私人运输。这就是说，政府应鼓励协助人民经营航空事业。

五　金融政策

（一）妨害生产事业的中国金融

金融事业是推动工业农业的重要条件之一。因为工业需要金融做它的周转；农业亦需要金融做它的周转，有人把金融比做工农商业的“血液”，大概是指此而言的，所以，在研究工农商业以及交通运输之后，应该把金融政策拿来讨论一下。

中国的金融组织是顺着票号、钱庄、银行的系列发展下来的。山西的票号早已衰落了；上海的钱庄是从南京条约五口通商以后生长起来的，至于新式的银行，则是在外国商品更加扩大与深入的局势之下，应运而生的。新兴的银行可分二种：一种是外商在华开设的，如麦加利、汇丰、花旗及正金等是；一种是华商为迎合时势而设的，如通商、中国及交通等是。钱庄所代表的是纯正的商业资本，因为它是高利贷商业资本底供给者；同时，它又为外国商人推销商品和采购原料服务的。新式的银行亦以便利外人的银行商行为前提。初期的华商银行的业务，是在资金上协助钱庄，使其完成上述任务而从中取得一部分利益，但长期比赛的结果，银行仗着它的雄厚的资金与严密的经营方法，把钱庄所占的外商银行代理人的地位夺去了，钱庄竟变成银行的隶属！

因为中国是一个殖民地半殖民地的国家，民族资本所经营的工矿事业，是渺小得很可怜的。所以，这些新式的银行，除了为外商银行作代理人外，只有向着投机事业、商业经营和高利贷等方面发展。抗战以前，上海的银行疯狂地进行着地皮与公债的投机；抗战期间，聚集在重庆、昆明等地的银行，则疯狂地进行其囤积居奇的商囤活动、放高利贷和黄金外汇的投机。这一切，没有一点是对产业资本有利的，不但没有“一点有利”，而且给与民族工业的莫大的损害。银行囤积了工厂所需要的原料，使工业增加了成本的负担；银行把资金冻结在商品或黄金外汇上，使工业的资金周转感到更大的困难。用不着举其他例子，这两点，就足够把银行资本的侵蚀性显示出来了。

中国现在和过去的金融业，对于中国的国民经济，只发生着否定的作用；而现在和过去的金融政策，亦是在发扬这种作用的。要使中国的金融业能对国民经济，提供积极的作用，要使中国的金融业能发挥其推动工业农业的作用，就必须彻头彻尾地改变过去的方针，就必须使金融政策以发展工业生产事业为任务。

为了对金融问题与金融政策作全面的措理起见，我们应回头从通货问题说起。

（二）措理膨胀了的通货

紧接着敌人投降，第一件事是措理通货问题。

通货问题并不是抗战结束以后才产生的，早在二十九年，这个问题便一天比一天的严重起来了。到了日本请求投降的时候，法币的发行额，几乎达到“七七事变”时的二千余倍。这就是天文学的数字了，还能说这不是膨胀吗？还能说这不是严重吗？如果胜利不是迫人而来，如果日本不是突然屈服，则这个通货问题恐怕将成更不可收拾的了。幸而胜利终于来临，这个问题就在复员的需要之下，暂时被掩盖了。有不少人，过去是沉醉于黄金外汇的投机的，胜利时亦回转头来投法币的机了。这些人的看法，认为过去国民政府局促在西南后方，法币膨胀之结果，就挤满了后方的市场，因而使币值不免下跌，现在好了，敌人投降，政府的地盘扩大，法币的流通范围亦必定跟着展开，这么一来，法币的需要就会比以前增加，法币的币值就会比以前提高了。这种看法，有几分是对的，但它只看到一面。对的地方，是他们看出法币使用的范围比战时扩大了；可惜的，他们仅仅看到这一面而已，他们还没有看到法币的发行，将在复员的名义下，以数十倍以至数百倍的速度在向前飞跑。这就是说，法币今后的发行额，不是地盘之扩大保持一定的比例，而是以超比例的速度在狂奔着！这样下去，膨胀的法币，又更进一步地膨胀下去了。那里能保持币值于不堕呢？那里能说法币没有问题了呢？

措理通货实在是战时金融的一个使人头痛的问题。战时财政的最主要的一个办法，就是增加发行。税收的绝对数虽然提高到为战前所想像不及，但开支之庞大和开支增加之速度更为战前所想像不及。在美国给与中国以租借法案以前，中国所借的外债，其能拿得到手的大多用之于购买军火，国内的开支离开发行通货是不可思议的；美国对华实施租借法案以后，国内的发行亦未能有所减轻。这种以发行法币为战时财政的出路的政策，在金融方面便带来了不可收拾的困难。法币越膨胀，物价就越飞涨（当然尚有物资缺乏的因素）；物价越飞涨，法币就越要增加发行。这宛如从高山上掉下来的雪球一样，越滚越大。这个巨大的雪球把工商各业辗压得一干二净了！无限制地膨胀法币的政策，给与战时经济战后经济以莫大灾害！

为了挽救通货膨胀的危机，为了要使法币有一部分回笼，人们便把黄金政策作为"救世金丹"了。单从黄金政策本身来说，在理论上，它是具有一定的作用的。抛出黄金收入法币的办法，当然可以使一部分法币回笼，当然可以削弱通货膨胀的影响，但是，假如没有其他的办法而单单靠这一着，则结果是很成问题的。不幸中国的黄金政策，正是这样地被人当作孤立的东西去措理！在一方面，法币是一个月比一个月在倍增着，另一方面，生产事业日益枯萎，物资问题日形严重，在这种经济情形之下，物价就一天比一天的向上爬高，开支就没法不以加倍的速度向前推进了。从三十二年秋天至三十四年六月底，黄金现货及黄金存款共收回法币八百余亿元。这个数目字诚不算小，但是如果把它与法币的发行总额和目下实际的支出比较，那就差得太远了。它只占六月底发行总数的三十五分之一；它只等于上半年二个月的发行额而已。费了九牛二虎之力的结果，只收回法币总额的三十五分之一，只收回了今年上半年的二个月的发行量，实在是太渺小了。正是因为如此，所以黄金政策并不能削弱通货发行的趋势。正是因为通货不断增发，游资不断增大，所以一定量的法币之被吸于黄金，是没法代替或减少另一部分游资之追求商品的，反过来，黄金涨得高，就越加反衬出法币的价格之相对低落；其次，一般商人因金价日高，暗中遂以黄金价为其所售的货价的利润标准，于是物价就被直接的提高了。物价提高，财政支出跟之增长，法币的发行额就没法不进一步飞跃了。从这二三年的事实看来，单纯的，孤立的黄金政策是不能有什么积极的效果的。

日本投降抗战胜利，法币的发行地区当可比以前扩大，但是，一方面因为黄金政策失了作用——黄金黑市比官价还低，另一方面因为法币的发行正以可怕的，大胆的数字在增加，火上加油，中国的通货问题是从此进入一个更严重的阶段了。从人民的利益看来，我们要求制止这种无限制的通货膨胀！

在无限制的膨胀之下，要使法币的币值稳定起来，实在不是一件容易的事。但这并不是不可能的，在战时，我们要求以有钱出钱钱多多出的原则去谋取法币发行量之减少；在日本投降之后，我们要求彻底严办汉奸卖国贼，没收他们的财产。从这里去谋得通货发行量之相对减少。可惜的是，目前所走的并不是这一条路，某一些汉奸依然是政治上的要人，他们的财产是谈不到没收的。这样一来，法币的发行额便无法不以几何级数一般的速度，向前飞跃了。这个烂羊头——法币，必定烂得更臭而已！

根据各国战后的经验，将来中国的通货，只有发行新币代替旧币。新货币将是怎样的一种通货，这是最近许多人关心的问题。有不少人主张以十余年前甘末尔的币制计划为方案。这个方案在本质上是把新币——“孙”，与美金规定一个比价，是把中国的新货币作为美金集团中的一个单位的。这仍旧是一种钉住政策，这种办法的“好处”，是在于便利中美间的贸易，是在于使中美间的金融更密切的联系起来。这种“好处”，如果从中国人民的利益看来，是很有问题的。中美的金融关系更密切，中美间的贸易更增进，难道不会给与中国的工农生产事业以困难和逼迫么？而且在这种钉住与联系之下，美国的金融一旦起了动摇，美金一旦发生贬价的情事，则我们亦就直接地要卷入漩涡了。第二次世界大战以前的国际金融之动荡，就是例证。因此，我们认为将中国的新货币变成某一个集团的一个单位，对于中国并不是有利之事！如果把它与金本位制比较，那是远不及后者的。

有人认为金本位制度不适宜于中国，因为中国缺乏黄金，要从外国购得黄金，乃是一种负担。中国产金诚然不多，中国要采用金本位制诚然困难，但采用那种与美金联系的钉住政策，何尝没有困难，何尝不要向美国取得或借得美金？而且根据国际货币会议的决定，世界货币基金已确定黄金本位，在这里，各国的货币虽则会彼此密切联系，但这种联系是经过黄金而实现的，并不是把某一国的货币直接钉住于另一国的货币。中国为国际货币基金会员国之一，实行金本位制的条件是具备的。在金本位制之下，通货随时可以兑现，它的发行额就不会无限制的增发，它的币值就会稳定起来了！这是它的一个优点，另一方面，只要我们能发展生产，增加输出，则黄金之获得，并不是困难的，从发展国民经济去获得货币的基金，去增强货币的基金，就可使中国的币制不再至于俯仰随人了，新的中国，需要币值定稳而独立自主的货币！

剩下一个问题，就是发行新货币时措理旧币的问题。在抗战的时期，因为敌人之进攻，华北和东南的半壁河山，先后沦入敌手，经过深入敌后部队与当地人民之合作，许多地区被解放出来了。这些地区是与敌伪犬牙交错地接壤而又与后方隔绝。战争的环境，亦赋与这些地方的金融以战斗性。它们一开始，就与敌伪的货币在搏斗，这种搏斗使他们不能不发行一些地方性的货币，但是它们是以法币为准备的，在形式上它们虽与法币有别，但实际上，它们是与法币有密切关系的。故在民主政府整理币制的时候，对于这些具有战斗性的地方币制，应依据当地的具体情形，加以适当的措理。因为这种解放区域很多，各地的新币与法币的比率并不一致，有的高于法币，有的低于法币，要把它们完全兑换为金本位的新币，如果用一个固定的比率去解决，是难免不发生困难的。

至于伪币与敌军遗下来的军用券或流通券，当然不能与抗战的地方币相持并论。对于敌伪的这些咀吸人民血液的工具，我们应采用否定的态度，但为照顾沦陷区人民的困难，可以规定一个较低的比率去把它们兑回，而这些兑换的损失，要由没收敌人和汉奸卖国贼的财产去抵偿。

（三）要有独立自主的外汇政策

谈了新货币制度之后，我们要进而讨论它的对外价值的问题，亦即外汇政策的问题。

中国的外汇控制权一向是握在外国人的手里的。汇丰、麦加利和正金几个外国银行，就是操纵了中国对外汇兑的机构，因此，过去的中国，并没所谓外汇政策。抗战初期几年，外汇问题曾经成为大家注目的对象，外汇政策亦曾经成为大家讨论的题目。但是，当时所执行的政策，在实质上，并不以中国民族的利益为前提，反而是以外国商人的利益为前提的，更干脆的说一句，敌寇汉奸亦在这种政策中取得了很大的甜头。

抗战初期的外汇政策，是以维持上海的汇市为任务的，从“八一三”至二十七年三月是无限制的出售外汇，二十七年三月十四日宣布外汇统制之后，改为“请核制”，请核制执行至二十七年八月，继之而起的是向英国借款五百万镑，并协同汇丰银行，以极大的力量维持外汇的黑市。这个政策断断续续的支持下去，一直支持到太平洋战争爆发，上海香港沦陷，外汇市场骤告停顿的时候为止。维持外汇黑市并没有什么“好处”，“最好”的一点，只是博得英美商人的“汇市坚定”的喝彩而已，而在另一方面，日本强盗正好利用这一政策，把它们从沦陷区所搜括得到的法币，进行夺取外汇基金，同时，许多官僚资本和投机商人又正好利用这一政策，进行逃避资金和金融投机。抗战前半期的维持上海香港的外汇黑市的政策，分明不是从中国民众的利益出发，因而受利者只有英美商人、日本强盗和中国的民族败类而已。

到了抗战后期，外汇政策似乎又有另一种倾向，因为法币的不断膨胀，外汇黑市便逐步提高，一个美元的“价格”，从数十元涨到三千余元，但官价的比率改变得很缓。有一个长期间（大约有一二年的光景）官价（主要是指侨汇）的美金一元合国币二十元，经过各方的推动与争取，乃提高为四十元，八十元，一百二百元以至四百元，五百元。在这里，汇率并不是划一的，而是多种的，当侨汇为一百元时，三十四年五六月，中美政府间的划算是一美元合法币四百元，教会学校联合基金的汇率是一千二百五十元，至于这个时候的黑市，则每一美元已涨至二千九百元以上了。除了汇率不划一有失公平一点之外，我们还应指出这种低压侨汇的政策，只有恶化侨胞家属的生活，损害侨民对于祖国的关怀，减少远涉重洋的侨胞的汇款罢了。你想想如果尽其所入每月以百元汇回祖国的侨民，在一百元的比率之下，一百美金只能换得一万法币，这一万元怎能养活三口以上以至五口之家的费用呢！这样一来，怎能提高他们对于祖国的关怀和汇款的热忱呢？低压侨汇的政策，在本质上，仍是殖民地性的表现。教会汇款和政府间的划算高高地压在侨汇之上，人民的利益是被官僚和买办所完全看落了。

今后的外汇政策，应该矫正过去这种通病，应该以独立自主的精神去措理我国新货币的汇率。我们断不能只把他人的颜色，把他人之是否“喝彩”，作为决定外汇比率的前提，而应当以整个国民经济的利益，以绝大多数的人民的利益为前提。这就是说，我国的汇率之规定，应把国际出入口贸易，发展国内工农生产事业与增加侨胞汇款几个条件，作一个全面的联系的措理。

三十五年二月二十六日当局所公布之“开放外汇市场案”，固然在摒弃固定的官价外汇率方面，比较以前灵活些，但挂牌的价格，还在迁就外人的进口利益，而且在腐败的政治之下，官僚买办正在利用其特殊条件，在中央银行未抛出外汇的时候先行抛出；将要扒入外汇的时候进行扒入。官僚资本是发达了，但中国的民族工业呢？

最后一点是新货币的对内价值与对外价值的一致。通货的对内价值与对外价值是血肉相连的。通货虽可用人为的办法，把它的对内价值与对外价值隔开，但这种办法只有在特定的环境下或者在战时严格的外汇统制的情况下，才能实行，在平时是不易做到的。外汇波动了，迟早会影响到它的对内价值；国内货币购买力跌价了，亦会迟早影响到它的对外价值——汇价。通货的对内价值或对外价值之波动，会影响到国内的工农生产和对外贸易。如果从发展国民经济的观点看来，都是不利的，故我们必须使新货币的对内价值与对外价值一致，必须使它的对内价值和对外价值都经常保持稳定。

（四）银行政策的方向

一如本节开始所说，中国以前的银行，都在投机操纵，妨害生产；今后中国的银行业（包括钱庄银号），应该改变其方向，使资金大量流入生产的领域中去。

根据国民党第一次全国代表大会的宣言，银行是应该收归国营的。目的是“使私有资本制度，不能操纵国民之生计”。这个原则是十分正确的，应该坚持下去，使它见诸实行，但在办法与步骤上，必须有严密之考虑。现在中国境内的银行，除了国家银行与地方性的公立银行之外，还有外国银行及私人的商业银行。外国银行是帝国主义者侵略中国的最犀利的工具，它们操纵了中国财政金融的大权，它们加速了中国农业与民族工业的破产。外国银行之存在，可以说是中国成为殖民地半殖民地的特征。要使新中国的金融能不受障碍地发展，要使中国的工业商业能独立自主的发展，就必须除去帝国主义的这一把利剑。当然，一个国家之容忍别国在其领土内设立银行，并不一定意味被侵略。在此次第二次世界大战爆发以前，各国在英国伦敦设行的甚多，计有法国银行六家，美国银行四行，日本银行五家，比利时银行二家，意大利银行三家，中国银行一家，还有其他国家的九家银行。英国是一个世界的强国，而在伦敦就有这么多的外国银行，可见单从银行之设立一事，还不能回答它的是否含有侵略性的问题。如果在华外国银行都失去过去那些特权，它们都服从中国的法律，它们的业务只限于供给汇票及经营外汇（不是支配汇率操纵外汇）的话，则外国在华设立银行，并不是完全不许可的。关于私人的商业银行，在建设的初期，还应让其存在，因为偌大的中国单靠国家银行的活动，还不能适应客观的需要。就是初期建设完成以后，商业银行似亦不能完全否定，因为新民主主义的社会经济，并没有否定私有财产制度，因而并未能完全取消私人银行。这就是说，大银行收归国家经营，小规模的，带有地方性的银行，仍可继续营业。但私人银行而发展成为独占性的金融组织，则不在此例。理由很简单，这就是：不让它们操纵国民的生计。

对于没有独占性的私人银行，我们将采取什么态度呢：是管理还是放任？答案很明白，管理政策仍是不可免的，有人因为战时银行管制的苛扰而根本否定管理政策之必要，我们认为这是偏向的看法。战时银行管理是属于过分苛扰的。它的失败的地方：第一是在投机政策投机环境之中不许银行投机。窒息生产事业的政策，发扬商品投机，如此银行当然不愿意向产业投资；抗战初期支持外汇黑市的政策，抗战末期抛卖黄金的政策，都是鼓励游资向这方面投机的，银行当然不会不走到这条道路来。在这种情形之下，叫银行规规矩矩，那它们只有关门大吉。一面造成一个投机的环境；一面又禁止它们的投机活动，这不是矛盾的么？第二是失去群众基础的检查方法。经济检察队的作风，完全是把行号当作囚犯来看待的。有背景的银行庄号自然客气一点；没背景的银行庄号自然要吃到苦头。在多次的教训之后，许多银行便“发明”了二种账簿的办法了。在二种账簿之下，银行之囤积投机，是不容易查出来的。于是乎，银行管制便成为苛扰有余的“德政”了。战后的银行是要管理的，管理的目的是要使商业银行的资金活动，向着工业矿业，向着生活必需品之商业。如何要保证这一政策之实行呢？我们认为第一是造成一个发展产业的环境。这一方面的内容，我们在讨论工业政策的时候，已经提到了。只有这样才能使银行的资金，敢于向工业投资。第二是制定投资工业奖励法，主动地促使银行向工业矿业投资。第三是严密统制商业银行的资金活动的百分比，规定银行的商业投资不能超过一定的限度——例如百分之三十。第四是组织银行的从业员，使他们参加银行的管理，监督银行的业务，这么一来，二套账簿的现象，便不会发生了。管理银行的目的，不在于窒息它们，而是在于将它们引向生产的道路。这一点，把我们之银行管理与当前之所谓银行管制，区别出来了。

所谓大银行收归国营，并不是说国家银行办得好，而是要使金融枢纽不至于被少数人所操纵。现在的国家银行，问题是很多的。第一件事是叠床架屋。四行两局的任务，是重复的。以外汇为专业的中国银行还保持着商业银行的面目；以发展工业为专业的交通银行，其工业投资还赶不及中国银行；以发展农业为专业的农民银行，在实际上亦与商业银行，在争商囤上的利益。中央信托局呢，它的机构之庞大，是应有尽有的，还不能看出它的“信托”的特点。除此以外，中央银行既已成为“银行之银行”，则把四行两局看作平等机构的“四联总处”，自无存在的必要了，但现在的情形，却是“四联总处”与中央银行仍然并存着。这是很显然的重复，因此，有人主张将现存之中央、中国、交通及农民四行，合并为一，建立一国健全的中央银行。又有人主张，现在的中央银行照旧，中国与交通两行合并；或者将中国银行的国内部分加入交通银行之内；农民银行彻底改组，集中其业务于农贷，其一般的业务则划入合并以后的“中交行”，信托局应把它的业务限于信托一项，避免和其他行局的重复。这二种办法，都有其根据，但比较起来，前一种主张虽较为彻底，不过，以客观的事实而论，一下子合并，恐有很多困难，而且在事业的前提之下，紧缩机构，提高效率，亦不是无益的，经过了一个时期之后，再合并为一行，在业务与行政上，便可减少很多阻力了。第二件事是要肃清一切舞弊浪费及“以行为家”的积弊。一些占有特殊地位的特殊人物，颇多利用国家银行的地位与资金，去进行其私人的活动。商品囤积，随意核得外汇，走漏黄金提价消息——这都是大众有目共见有耳共闻的事实。至于“以行为家”的恶习，更为全世界之所无。“以行为家”是公开的把公帑当作私产，是无上的浪费！在新民主主义的国家中，这种现象是不能容许其存在的！大银行收归国营，并不是把大银行变成大官僚的私产，而是要使大银行能为发展新民主主义的国民经济而服务！

为了使金融组织在地区上作普遍的发展，我们认为省立银行与地方性的银行，仍有存在的必要。有人主张把这一切都合并于中央银行，这是忽视地方特殊性的看法。地方银行之存在，可能便利于发展地方经济（这种地方经济自然不是独立的，而是在一个统一的计划之下，分工合作的）。如果把一切都合并于中央银行，则在照顾地方经济上，在普遍发展的方针上，都是有缺点的。当然，这些地方性的银行之存在，并不是完全放任的，新民主主义的政府必须管理它们，使它们的资金向着生产事业！

（五）金融要为人民和生产服务

为了扶助中小生产，为了调剂民间金融，新民主主义的金融政策，必须照顾农业金融的一般的民间金融。农业金融的主要内容就是农业贷款，这一个问题在讨论农业政策的时候，我们已经把它的内容写出来了，现在要讨论的是信用合作和一般民间金融的问题。

农业贷款的一个具有关键性的问题，就是信用合作社的组织。要使农贷能实实在在流入勤劳而贫苦的农民之手，就必须以农民为主体组织合作社。过去在大后方亦未尝没有农村的合作社，但这些合作社都是握在土豪劣绅的手里，真正努力于生产的贫苦农民，则因为他们的贫苦而被摈于合作社之外，这么一来，贫苦农民便没法获得“农贷”的利益了。农民是否自己组织合作社，农民自己是否能掌握合作社，乃是农贷是否能为勤劳而贫苦的农民服务的前提。

至于一般民间金融则包括城市的平民在内。旧时遗传下来的一种互助组织——“组会”，是应该加以重视并改善的。“组会”是由参加者每月各出一定的资金，用轮流或投标（利息）的方法，由某一会员贷得资金。就是说，他每月出一定数量之金额（如一百元），就可在某一个月里标得十倍的金额（如一千元）了。这种组织具有深刻的互助的意义，这是小生产者避免高利贷的很好的方法。我们可以普遍加以提倡，并把它提高成为固定的组织。

要使金融为生产建设服务，并为广大人民服务，我们的金融政策，必须改变过去的方向，改变过去的作风。做到广大的人民，特别是勤劳而贫苦的农民，能获得金融调剂的便利。这是消灭封建高利贷的一个客观条件。因为只有这样，贫苦的人民才不至再乞灵于高利贷；我们在严格取缔高利贷的时候才不至于在社会金融上发生危机。关于高利贷之取缔，是要清算过去那种无法无天的盘剥，不管利息规定得多高，我们应使其减为“一分”或“一分半”。在减息之后，债户必须依约还债或缴息，否则会影响到社会秩序，使新的借贷更加困难或根本停止。凡旧的债务业已正式清结或实际完结者，应不再翻案。仍未解决而发生纠纷的，则应在改良贫苦人民生活和调解各阶层人民利益的精神（上）去调解。减息如减租一样，具有压迫货币资本，压迫游资转入工业生产事业的作用，具有改善农民及手工业者的生活的作用。金融政策之所以要减息，它之所以要削弱封建剥削，其意义就是在此。

总而言之，新民主主义的金融政策是为人民与生产服务的，要为人民与生产服务，就必须彻底消灭中国金融的那种买办性和封建性。这就是金融政策的总方向。

六　财政政策

（一）三个基本特点

现在，我们应该谈到新民主主义的财政了。要建设新民主主义的社会经济，不但有赖于农业工业与贸易金融等政策的实施，而且有赖于财政政策之配合。换言之，财政与经济如果脱了节，财政上的措施如果违反了经济建设的原则，则新的国民经济的建设必定不能迅速的开展。因此，在论述了新民主主义的各项经济政策之后，我们必须进而讨论财政政策。

新民主主义有几个基本特点：

第一，财政与经济虽然是息息相关的，虽然是互相影响的，但我们并不能把财政问题作为具有决定性的因素去看待。正相反，我们应该把经济问题之解决当作解决财政问题之前提。毛泽东先生说得很明白：

> 发展经济，保障供给，是我们的经济工作与财政工作的总方针，但有许多同志，看重了财政，不懂得经济的重要性。他们的脑子终日只在单纯的财政收支问题上打圈子，打来打去，还是不能解决问题，这是一种陈旧的保守的观点在这些同志的头脑中作怪的原故，他们不知道财政政策的好坏固是影响经济，但决定

> 财政的却是经济，未有经济无基础而可以解决财政困难的，未有经济不发展而可以使财政充裕的。

这就是说，新民主主义的财政，必须以新民主主义的经济作基础，这就是说，新民主主义的财政，并不是架空的，并不是以借债、发行钞票和竭泽而渔的办法所能成事的，而是以生产发达贸易繁盛的国民经济作为基础的。

第二，新民主主义的财政政策，是彻头彻尾地充满着人民观点的。旧的财政方针，只是拼命于搜括。这些理财者的百分之九十的努力，是用在向老百姓要东西上。要钱币，要实物，弄得岁无宁日，鸡犬不宁。二千年前柳宗元写了一篇《捕蛇者说》，讽刺苛政比毒蛇还凶；二千年后的现代中国，老百姓所受的苦痛压榨，谁能说比那时轻松一点呢？旧财政政策的本质，是为少数人的，是为着维持某一阶层某一集团的统治的，因之，财政上的负担便完全压在老百姓的身上了；财政开支的实惠便完全落在那些不出钱而且赚钱者的身上了。新民主主义的国家，是以广大人民为主体的，是以繁荣的国民经济为前提的，因此，政府必须用百分之九十的努力，去为人民服务，去为人民解决困难，去为发展农业工业而奋斗。只有在用了百分之九十的努力去为人民解决经济问题之后，才用百分之十的力量去向人民要收入。这么一来，财政问题便可迎刃而解了。

第三，过去的财务行政是很黑暗的。人民出三块钱，政府得不到一块钱。二块多钱是在收缴的过程中，被各级的不肖官吏中饱去的。在这种情形之下，人民是筋疲力竭了，但政府方面却仍感到收支不敷，仰屋咨嗟。新民主主义的财政应该公开，必须做到人民出三块钱，政府至少可拿到二块半，绝不许有甚么不明不白的情事存在。至于财务费，必须力求节约，使其对于收入占着一个最小的对比，同时，在岁出中更占一最小的百分数。这就是说，财务行政应做到没有贪污的情事存在。一句话，新民主主义的财政，是廉洁而效率极高的。

以人民为前提，以经济为前提，以廉洁为前提，这就是新民主主义财政政策的基本特点。

（二）用之得当的支出

新民主主义的财政支出，是以用之得当为原则的。只要这一项支出是合理的，是必要的，则不论大小如何，都须支出；如果某一项支出是不合理的，不需要的，则不管它的数量如何小，亦不应许其存在。那末，什么才算是合理的呢？什么才算是必要的呢？合理和必要的标准在那儿呢？

八年余的抗战，使我们深深地体验到中国必须有坚强的国防，必须有坚强的国民经济，特别是工业化的国民经济，必须普及教育建设新民主主义的文化。现在抗战胜利地结束了，和平建设的新时期正在开始。新的中国，须要坚强的国防，需要工业化的经济，需要普及而深度的新民主主义文化，因之，新民主主义的财政，就必须以这些事业为依归。合乎这些事业之要求的为合理，为必要；不合乎这些事业之要求的为不合理，为不必要。这就是财政上支出的标准。

根据上面所说，新民主主义国家的岁出原则应为：

第一，建设巩固的国防。过去中国财政最大的一项支出是军费。在严格的意义上，这种军费是与国防费不能相持并论的。专制政府的军费，用之于镇压人民，用之于进行内战，这种军费用得越多，人民亦就越加倒霉。因为站在反人民的立场上的军队，除了“内战内行”之外，对于“外战”，就不能不是一个“外行”了。这样的军费，当然是不合理的，不必要的了。反之，新民主主义国家的国防，是以维持世界之持久和平，是以保卫中华民族之生存与发展为任务的。无国防便无民族前途；无国防便谈不到世界的持久和平。现在日本帝国主义虽已投降，但看看它的阴谋诡计，它是分明在争取第一次世界大战后的德国前途的，它千方百计地打算在挑拨民主国家的团结中求得翻身，它企图像过去德国那样再经过十五年或二十年之后再来一个报复。如果日本的民主政府没有建立起来，则这种危险，是十分严重的。为了使中国不至于成为第二次大战中的法国，为了使中国能成为维护和平的力量，那末，国防费的支出，是必要的！

不过，国防费的支出并不是无限制的，并不是没有前提的，日本投降后将近十个月，顽固派疯狂地在进行其消灭异己摧残民主力量的内战，在这种情形之下，军费不但未比抗战时减少，反而比抗战时来得更多。法币在飞速地增发，财政在急速的破产，这将如何得到了呢？因此，我们必须把国防费和内战的军费区别出来。我们要求停止内战，要求实施周张马所签订的整军方案，只有把目前五六百万军队缩编到一百万以内，财政的支出才得减轻，国防的建设才谈得上。

第二，建设费之支出，应以人民之福利事业为依归。应以提高人民的物质状况和文化状况为依归。所谓人民的物质状况是与国民经济之发展联系着的。没有发展轻重工业，则工人的“就业”就会成为问题；没有实行土地改革，则广大农民的生活无从改善；没有扩大的国内外市场，则工商各业从业员的职业就无从提高。故国民经济之高涨，乃为人民物质状况改善的前提，财政虽被决定于经济，但财政政策是可以影响经济建设的。如果政府的税收不妨碍生产和贸易，则生产和贸易便能顺利的发展；如果政府的建设经费是处处为发展经济而打算的，则新民主主义的经济建设便可更快的发展了。因此，我们认为建设费应以扶助工农生产事业（尤须照顾中小生产及合作事业）为主。在本质上，这是中国工业化所必须走的道路。这些用在经济建设上的经费，应逐年使其扩大。国防工业与日用工业必须同样的支出；国营工业与民营工业，亦必需同样的获得投资或借款——当然在比例与方式上，不能完全一样。至于文化建设，应以教育经费为主干，教育费应该多用之于教育本身，应该多用之于仪器和图书之设备，壮丽的校舍，是次要的。

第三，是在行政费方面，应使每一元钱之支出，都不背于民主与进步。那些压制民主自由，妨害人民居住安全以至言论自由的经费，都不应让其存在。不管那一党那一派，都不应让其在国库中取得资金。各机关须力求节约，使其在国家总岁出中占一最少的百分比。骈支机关应一律裁撤；工作相同的机关应一律合并。因人设事，叠床架屋的机关，不知每年要浪费人民多少脂膏，如果骈支的裁撤了，如果相同的合并了，则政府每年的开销，一定可以节省一个巨大的数目。至于必须支出的行政费，亦应矫正过去那种薪俸费办公费扩大而事业费缩小的毛病（这里的薪俸是指上级而言的。过去的情形是官越大俸越多，职位越小，则连生活亦维持不了。所以我们主张在“禄以养廉”的前提之下，调整公务人员的薪俸）。只有薪俸费和建筑费缩小，才能使行政费在政绩上表现出来。

这几项，可以作为中国今后岁出的原则。一切都为了和平建设，这是我国在讨论新民主主义国家的岁出时所不可不把握的！

（三）取之有道的收入

战时财政的收入，是依靠发行钞票，依靠借募外债和增加租税。中国八年抗战的财政，这三者皆被使用着，但中心一点，是发行钞票。这些办法，在战后的中国，特别是将来新民主主义的中国，当然是不能继续下去的。

以增发通货言之，到抗战结束之前夜，法币的发行额，较诸抗战爆发的时候，几乎增加二千倍，在日本投降，各方进行复员的时节，通货又以若干倍的速度在向前增长。这分明是膨胀之上又增加上膨胀。这分明是财政金融的极其严重的病象。战后恐慌可说是从这一点引申出来的。如果要稳定物价，如果要稳定币值，法币是不能不加以整理的；要整理通货，则新的货币当然不能无限制的发行。因之，在新民主主义的国家中，显然不能以增发通货作为弥补亏空的手段了。

谈到募债，除战时为应付非常的急需之外，似亦不可作为平时维持财政开支的工具。中国过去的内债，都是由政府直接分派给银行的，如果银行再把它们从政府分配所得的公债，散诸民间，吸收民间资金，则结果是不错的，可惜的是，中国的公债在人民间还未建立其信用，银行从政府分配所得的公债，只到银行为止，它们并没有散到民间去，故所谓举募公债，实际上不外是政府的公债和银行的通货对换而已。这么一来，银行便吃饱了公债而社会便吃饱了通货了。抗战八年所发的公债，除了二三次是从民间招募之外，大多数仍是走着旧路。战后危机之严重，这未始不是因素之一。用公债去维持开支已经是一种极其严重的病态；而以政府的公债与银行的钞票对换的办法，更是一种病态。新中国的财政，是不应走这条慢性自杀的道路的！

从外债来说，外资并不是不可利用的。为了建设新中国的工业，我们亟愿外国来投资。八年抗战，中国原有的一点工业基础，都被敌人摧残得七零八落了，沦陷区中，敌寇为了咀吸我国物资，为了配合敌寇本国产业的需要，在东北和华北，曾经有若干的“工业建设”，但那是殖民地的形态，今天我们纵可接收过来，还需要我们的种种调整与投资。大后方迁建的新工业更是可怜得很，故战后的工业建设，是需要我们极大努力的。在不损害中国主权之下，利用外资，当然不失为办法之一，但这种外资，必须是点滴用之于工业建设。民国以来的历史，不是有不少军阀官僚在振兴工矿的名义之下，从外国借得巨款吗？但一旦借到它后，却一块钱亦不用之于生产建设。这些外债的用途是招兵买马，剪除异己；是挥霍浪费，“平衡收支”。以后中国的财政是万万不能走这条路的。要举借外债，要利用外资，必须只能用之于建设，财政上的开销，是绝对不许可的！

既不能通货膨胀，又不能“借债度日”，那么，今后中国的大部收入，自应恃租税；国家经常岁出，自应取自租税了，但租税制度之在中国，问题是很多的，我们不能盲目地一味增加租税。

在抗战以前，中国税制向作畸形的发展，国家税以消费税系统为主，如关税盐税等属之；地方税以收益税系统为主，如田赋营业税等属之。这种税制的缺点很多：（一）国家税多为对物税非对人税，对物税不以个人负担能力为标准，越是富有的人，负担就越小；越是贫困的人，负担就越重。（二）国家税多为间接税，因关税盐税统税等为间接税，而田赋营业税等为直接税之故，彼时国家税中各种间接税之税收，实占税收总额的百分之九十四以上。（三）租税系统不明，重征复出，所在多有，如同一消费税，既课产税，又课过税，既课过税，又课坐税；而同一过税中，既有国家征税于前，又有地方征税于后，架床叠屋，民不堪命。（四）附加过重，如田赋附加，甚或超过正赋，而盐税附加亦素称苛重，但营业税所得税则无附加税，一方失之繁重，一方则失其公平。（五）田赋预征，有的地方，几乎每月一次。地主自然以这种负担，转嫁给佃户；中小自耕农则除卖妻鬻子剜肉补疮之外，别无他途。这些缺点，刻划出抗战以前的税制是如何在误国病民了。

中国的直接税是从民二十五年开始的，是年倡办所得税；民二十九年倡办遗产税。民国三十年改订财政收支系统法以后，因省级财政并入国家财政，省税划为国税，故原为地方税之田赋及营业税亦尽成国税了。经过这一调整之后，中国的税制在形式上是与以前稍为不同的，但在实质上，却未尝减免过去的弊病。（一）直接税在总税收中的比重，虽则比以前提高了，但间接税仍占优势，而且直接税在本身上还有许多值得研究之处。现行的所得税及过分利得税，并不以个人所得及利得为课征对象，而以产业组织为课征对象。这么一来，就形成了“损害组织之发展者多，而影响个人之财富者微”的现象了。特别是那些居高临下有权有势的人物，所谓直接税是“损害”不了他的一毛的，反之，正当的商业与产业组织就大受迫害了。（二）租税行政还依然的“有待简化”，税务机关在系统上依然庞杂；在机构上依然重复；在纳税的手续上，依然麻烦。（三）附加税依然像雨后春笋一般的增加。以田赋而言，征实是加重了农民的负担的，征实之外，还有征借；征借之外，还有带征。以三十三年江北县田赋管理处公布的标准而言，征：每元一石一斗七升九合；借：每元一石九斗二升九合；带征公粮（指县级的）：每元五斗九升；带征积谷：每元一石二斗零二合；四种合四石九斗。带征为正税（征实和征借）的百分之五十八。这是何等巨大的一个附加！但实际田赋以外的摊派，尤其惊人，据四川省训团对川北十一县的调查：三十一年度地方摊派的名目就有六百六十六种，如以每名出的杂款，择大者而言，亦有二十几种之多。这一年川北阆中的赋税总征数为三百二十万零二千五百三十二元，而地方摊派竟达七百一十四万七千八百六十八元之多，为正赋税的百分之二百二十四，如单以课税的九十三万一千九百九十元的数字来比较，则为百分之二千四百八十五点零八。这是何等的苛重啊！（四）流通税系统的租税，亦依然的重复苛杂，依然是妨害交通运输。（五）火柴、食盐、卷烟食糖等物，曾举行专卖，在理论上是为了社会政策，而实际上却完全为了财政收入。但在官僚制度之下，财政方面的收入，亦并没有做到，因为专卖的费用估得很大，而且民制官收，官运商销的结果，生产者亏折了，消费者的购买力更降低了。专卖品的生产和消费都减少，财政收入怎能不减少呢？

这就是战时中国税制的毛病。在这里，我们并没有谈到税收机关专卖机关的腐败——如高秉坊之于直接税局，李泰初之于中国茶叶公司等舞弊案件，但，单单以租税制度本身而言，缺点是很多的。新中国的税收政策必不能“萧规曹随”的走这一条路。这就是说，必须革去这种不公平的不合理的有害国民经济的税制，而建立一种公平合理，能够推动国民经济发展的税制。

第一，是建立统一累进税的制度。所谓统一的累进税，就是累进的所得税和财产税。所得税和财产税都是直接税，故这种制度，是最合理的税收制度。统一累进税实行之后，除调剂出入口贸易保护国民经济的出入口税和带有财产登记性质的田地房屋的契税外，其他捐税，一律废除，连田赋盐税等亦停征。

第二，是各省以至各县区的财政，都由民主的中央政府统筹统支，各省以至县区政府不得再征地方款或任何附加，亦不得借故罚款。在最初一个时期，村政府的开支，暂由村合理负担解决，但须实行严格的预算决算制度，并准备逐渐使村级财政以公产为主，同时一部分仰给于政府的统筹统支，因此，村政府的附加，应在禁止之列；摊派必须在民主制下，合理解决。

第三，对于烟酒仍应归稽征机关依法重征，以维国民康健而省物力。

第四，是通货政策须视为国家财政政策之一部，不能视为国家收入之一法。

第五，举募内外债，只能用于经济建设，不得视为平衡收支的经常工具。

（四）统一累进税的几个问题

累进税的分数，以个人为计算的单位，以户或经营为单位合计缴纳。这与民主政治之以公民个人为单位同一道理，且可以避免过去因缴纳合理负担而纷纷分家或假分家的现象。

统一累进税基本是以货币的形式缴纳，但因为中国是一个农业国家，农民经常缺乏货币，故以现物缴纳的形式，亦是许可的。至于统一累进税的对象，可以分为：农业累进税，工商业累进税及薪俸工资所得的累进税三种。兹分述于下：

第一，农业累进税以土地为计算单位，将财产与收入合计（将财产收入分算很不容易，纵能分算也异常麻烦）。各种不同质量和生产力的土地，以其平均可能的收获为标准，折成标准亩。这样可以鼓励农民的生产积极性，防止农民因怕多纳多负担而懒于生产。

农业是一个极其复杂的部门。有地主，有佃农，有自耕农，而地主之中，又可分为大地主与中地主小地主之别，大地主可多至数十万亩，小地主可小至不满二三亩的；以佃农来说，有的是雇入长工短工的富农，有的则一贫如洗，竟至兼卖劳动力的。自耕农之中，亦有富农中农及贫农之分。故在决定农业累进税时，应该加以区别，大约可以分为：自耕地、出租地和佃耕地三种。打个比方，某地规定以每年能够出产二市石为一标准亩，而自耕地（即贫农中农及富农自耕的土地）假定以一个标准亩算一亩（称为一个“富力”）的话，则出租地（地主的土地）就应提高一点，以一个半标准亩算一亩（即一个富力），因为在实行减租之后，地租不能超过总生产额的千分之三七五；佃耕地（佃农）则应以两个标准亩算一亩——一个富力。

计算法是先把一切地亩都折成每亩收二市石的标准亩，这样，自耕农的自耕地，一个标准亩算一亩；地主的出租地，一亩半算一亩，佃农的佃耕地，二亩算一亩。

假定每个富力应纳税为一分，则自耕农若收入二市石者则纳税一分；地主若收谷（假定地租是三七五的话，则一亩半应收入之数为七点五斗加三点七斗共一点一二市石）一石一斗六升者应纳一分；佃农减去千分之三七五的地租后，一市石的产额他可得六斗二升五分：依二标准亩算作一亩的规定，佃农若收谷二石五斗时，应纳税一分。看来地主纳税率比较高，但实际上，因为他不开支任何种籽、农具、牲口、肥料等费用，是纯收入；在另一方面，佃农的纳税率则似较自耕农为低，占五斗谷的便宜，但实际上，佃农较自耕农所费的劳力、种籽、农具及牲口等都多两倍，所多一亩地的耗费绝不至小于五斗谷子的代价——当然他还获得二亩地的副产物。

第二，工商业累进税是把资金和收入分算。因为各种工商业的不变资本与可变资本的比率，资本的有机构成不一致，资本周转速度亦不一致，因而利润率亦不一致，合算十分麻烦。分算办法假定资金以二千元为一富力；收入以四百元为一富力（假定每年利润率为百分之二十），将资金及收入折算成纳税分数后按同一累进率计算。

第三，工人、职员、教师、编辑、作家以至公务人员的薪给报酬所得，都应缴纳累进所得税。

为了使贫困的人，免去负担，须规定免征点。收入及财产在免征点以下者，免纳统一累进税；免征点假定为一个半富力，即自耕地的三市石，工商业的三千元资金或每月六百元的收入。谷价高低不一，有时较低；谷价低时，工商业的免征点似乎比农业低一点，农民似乎吃亏，其实不然，因为农业还有不计分数的副产物咧！

地主若以一亩半折算为一亩，又假定一亩半为免征点，则地主的免征点为二点二五亩，这样老弱孤寡的地主及贫农出租土地者大半可以免征。因为地主的土地，若每人平均在二亩半以下者，其收入绝不能维持生活。他们之所以出租土地，大半系孤寡老弱，或贫苦农民，纵然自耕，仍不能维持生活的。

为了鼓励工业生产及合作事业，凡投资于工业、合作社、水利（如修渠、凿井）等方面的资本，在一定期间，可以免纳累进税；工业与合作社只纳所得税，不纳资本税；投资于商业的资本与所得，均纳累进税，商业收入按总收入计算，其雇员除去免征点，但计算分数时，则不算入人口。

统一累进税累进的进度不宜太快，并且必须规定累进最高率，否则，累进到某一级以后，纳税人为了纳税，不但要把全部收入缴出，而且需要变卖财产来纳税；或者为了减轻负担廉价出卖其土地。统一累进税分数的一分，究竟是纳多少，要依各个时候（以至地方）的具体情形而定，但无论如何，必须规定累进最高率和适当的累进速度，否则，富者便无法支持了。这对于建设新民主主义社会，是有妨碍的！同时，各地富庶程度和各阶级富力的分布情况极为不同，其生活标准相差亦极远，因之，免征点在各地仍须有升降的余地，要调剂得宜，我们认为纳税人与全人口之间，须规定一定的比率。比较公平的做法是纳税人要达总人口百分之八十。因为纳税人若小于百分之七十，则负担会集中在少数富人的身上；若大于百分之九十，则完全无负担能力之贫户亦要负担，那就会形成民不聊生的状况了。

统一累进税是直接税，是一种最合理的制度。这是有钱出钱钱多多出的具体的科学的办法。中国向来的税制都以间接税和摊派为主要的途径；直接税虽已行了几年，亦尚未占着优势的地位。欲在这种环境之中推行统一累进税，当然是很困难的，不过，这种困难，并非不可克服。在抗战的火焰中，解放区的新民主政权已经把这个制度建立起来了。战后的中国，必须把这个成果扩大。根据实际的经验，要实行统一累进税的条件有二：一为健全的村政权——乡村的人民组织；一为征收方式是行政和政治动员相配合，使人民按照公平的税制自愿缴纳，法律只能制裁个别的抗缴分子而已。

结论　需要民主政治作保障

正如本书第二章及第三章所述的，新民主主义的经济，在千锤百炼的神圣抗战的炮火中，已经在中国的一些地区（陕甘宁边区与敌后解放区）中实现了。新民主主义的经济，并不是可望而不可即的空中楼阁，在今天之中国，它是具有实现的条件的，但若以全国的范围来说，实现这种新型经济的地区，还是局部的。要使新民主主义经济之实现能带有全国性，亟有待于我们之努力！

或者有人以为抗战一结束，新民主主义的社会经济就可能在中国出现吧！这种看法并不是完全错的。八年抗战，全中国的人民，辛辛苦苦，前仆后继地勇往向前，其目的显然并不是要保存一个古旧的原封不动的中国，而是争取一个独立自由与富强的新国家。经过八年的抗战，中国广大的人民更是站起来了。在某些地区中，人民的政权，人民的武力，已经有斐然的成绩了。国内的条件，使中国不能倒退；国际的条件，亦使中国不能倒退。这一切的一切，说明实行新民主主义的政策是可能的，但可能并不等于必然。要使新民主主义经济之实现有全国性，必须以实现全国性的新民主主义政治为前提。

是不是说，这种看法就等于承认政治决定经济呢？我们认为问题是不会这么简单的。

政治观点、政治组织是以社会底物质生活作为基础的。可是不应从这里作出结论，“说社会的观念、理论、政治观点、政治组织在社会底生活中没有意义，说它们不反转来影响到社会的存在，影响到社会生活底物资条件之发展。我们在这里暂且只说到关于社会的观念、理论、观点、政治组织之起源，关于它们之产生，关于社会底精神生活是社会底物质生活条件之反映。至于说到社会的观念、理论、观点、政治组织底意义，至于说到它们在历史上的作用，那么，历史唯物主义不仅不否认，而且恰巧相反，正是着重指出它们在社会生活中，在社会历史中的严重作用和意义。”

这是从原理原则上来看政治与物质生活条件（经济）的关系的。但单从原理原则，显然不能解决我们现在所要解决的问题，必须更具体地去了解新民主主义的政治与新民主主义的经济之关系。

新民主主义经济之实行，必须依靠新的经济政策之实行。一如前章所说，如果没有土地改革的政策，从二五减租到耕者有其田，如果没有提高农业生产的农业政策，包括组织农业合作、扩大并改善农贷以至修治水利等项，如果没有促进全国工业化的政策，包括调整劳资关系，制裁官僚资本与扶助民间资本等项；如果没有配合生产与扩大国内市场的贸易运输政策；如果没有稳定币值并使游资从投机走向生产的金融政策；如果没有取之有道和用之得当有利于国防民生的财政政策，那末，新民主主义经济之实现，是不可思议的。这亦就是说，新民主主义经济是以这些措施为内容的，不实行这些政策，就没法削弱以至取消封建残余、买办资本和官僚资本的势力，就没法改变那种古旧的中国经济的面貌，就没法把极广大的农民解放出来，把破坏生产建设的一切因素加以肃清了。离开新的经济政策而谈新民主主义经济，难道不是空话吗？但要实行这种新的经济政策，必须有真正代表人民利益的民主政权。试想想吧！如果政治不民主，如果掌握政权的还是一些代表大地主和大买办资本的人物，则这些新的经济政策，怎能实行呢？叫封建势力去减租减息，叫买办资本官僚资本去生产建设，去进行全国工业化，这就是“与虎谋皮”。新民主主义的政治，就是推翻外来的民族压迫，废止国内的封建主义与法西斯主义的压迫。这是以全国绝对大多数人民为基础的统一战线的民主联盟的国家制度。这种国家制度是代表了数百万产业工人，数千万手工业工人与雇农，和三万万六千万农民的利益的；同时，它亦是照顾了广大的小资产阶级、自由资产阶级、开明士绅的利益的。只有这样的政权，才能正确地决定这种政策，才能坚决地执行这种政策。新民主主义政治保障了新民主主义经济之实行，这不很明显的吗？

在整个世界汹涌着民主巨流的局面之下，某些人物，是可能乔装的。他们可以颁布若干在表面上颇为进步的经济政策，去“说明”它的“经济民主”。当然，谁亦不能使人们不乔装，但，乔装毕竟是乔装，尾巴终会露出来。第一，乔装总是不合身份的。为了伪装民主而颁布的经济政策，难免不切实际。调子唱得很高，但越高就越发失去实际意义。看一看吧，今天如何能马上实行市地公有呢？如何能马上实行集体农场呢？如何能马上限制私人资本（官僚资本当然不在此例）呢？如何能马上把很多办不到的工业要完全国营呢？失去实际意义的经济政策，处处总会显出它的捉襟见肘的矛盾来！第二，就是政策本身很切合实际，但政治如果不民主，则在执行时，不但要遇到打折扣的危险，而且要遇到"变质""走样"的危险。这是政治机构的问题。中国的这一副政治机构，是半殖民地半封建社会的遗产。宕搁，推延，逢迎与舞弊，就是它的特点。它是统治阶级用去镇压中国人民的好工具。用这一付工具来执行新的经济政策，怎能不变质呢？

新民主主义经济的一个中心环节，乃是实行土地改革。因为土地改革（耕者有其田）可以使农民从封建剥削之下解放出来，可以使农业从旧式的落后水平进到近代化的水平，从而使工业获得市场，造成了将农业国转化为工业国的可能。但在保甲制度之下，要实行土地改革，分明是不可能的。保甲制度是掌握在贪官污吏、土豪劣绅和特务流氓的手中。它是压榨人民的机构，是压迫人民的机器。有公事则敷衍，有公款则侵吞。他们不仅侵吞公款，而且借口筹划“公款”以剥削人民。那些算不清的摊派，苛捐杂税，有一大半是由保甲长制造出来的。如果在这种机构之下去执行土地改革，去执行新的经济政策，那能有什么好结果呢？说一句老实话，在保甲制度之下，土地改革根本就推不动。你要减租减息，你要“耕者有其田”，保甲长在地主指使之下，就会出来干涉、镇压以至逮捕、屠杀。十余年来的历史，不是血迹斑斑吗？要使土地改革能实行，就必须使农民能自己组织起来，而农民自己的组织，是与保甲制度不能相容的。故要实行新的经济政策，必须将政治机构——从中央政府一直到乡村的基层政治组织，彻底加以改革。新民主主义政治保障了新民主主义经济的实行，不是很显明的么？

如果在国民经济的构成部分而言，新民主主义经济，是由国家经营、私人经营（包括私人资本与劳动人民的个体经济二部分）与合作社经营三者组织的，而这个国家经营的所谓国家，一定不应该是“少数人所得而私”的国家，一定要是为一般平民所共有的新民主主义的国家，反过来说，如果政治不民主，如果这个国家仍是大地主大官僚资本的国家，则国营企业就要变成为腐烂的害民的官营（官僚资本的官营）企业了。在前面，我们在研究国营企业的时候，不是有着这样一个感觉吗？没有政治的民主作为保障，则没法使国家资本不被少数特殊人物所利用；国家经营的企业如果握在少数特殊人物的手里，则新民主主义经济的组成部分中的最重要的一部分，便在实质上被破坏了。这么一来，新民主主义经济怎能存在下去，怎能发展下去呢？

从这几方面看来，新民主主义经济之实施，是明显地有待于新民主义政治之实施，是明显地以新民主主义政治为前提的。这是政治作用于经济的具体而充实的一个例子。其实，用政治去推动经济，并不是中国现阶段所独有的。欧洲各国的旧民主主义的革命，固然是在资本主义生产关系早已萌芽，多少已经是成形的状况之下才爆发的，但资本主义的生产方法，要从从属的地位发展为统治的生产方法，却有待于封建制度之扫除，却有待于旧民主主义政治之建立。至于社会主义的生产关系，则只有在无产阶级获得了政权之后，才孕育起来发展起来的。故以新民主主义政治去保障新民主主义经济之建立与发展，并不是历史上的创举！

但是，新民主主义政治，并不是从天上掉下来的。它绝不能离开现实的经济基础。中国为什么非走新民主主义的道路不可？因为："第一，中国既不应该是一个由大地主大资产阶级专政的、封建的、法西斯的、反人民的国家制度，因为这种制度在活生生的事实上已表现出完全破产了；第二，中国亦不可能，因此就不应该企图建立一个纯粹自由资产阶级旧式民主主义专政的国家，因为在中国一方面，自由资产阶级在经济上与政治上至今还表现得很软弱；另一方面，中国早已产生了一个觉悟了的，在中国政治舞台上表现了强大能力的，领导了广大的农民阶级、小资产阶级、知识分子及其他民主分子的中国无产阶级及其政党这样的新条件；第三，在中国现阶段上，在中国人民的任务还是反对民族压迫与封建压迫，在中国社会经济的必要条件还不具备时，中国人民也不可能，因此就不应该企图实现社会主义的国家制度”。在这里，我们可以很明白的看出几个经济因素来：第一，殖民地半殖民地半封建经济是不能维持下去的；第二，由于民族工业之未老先衰，自由资产阶级在经济上是薄弱得很“可怜”的；第三，中国的社会经济还未具备必要的条件。因此，中国人民必须推翻外来的民族压迫，废止国内的封建主义与法西斯主义的压迫，因此，现阶段的中国既不能建立一个纯粹自由资产阶级旧式民主主义专政的国家，亦不能使它成为一个崭新的社会主义的国家，而必须走“适合中国人口中最广大成份的要求的国家制度”——新民主主义。

这是从反面来说明新民主主义政治之以经济现实条件为基础的，如果从正面来说，则又将若何呢？

新民主主义经济的四个构成部分，即国家资本、私人资本、劳动人民的独立生产经济及合作社经济，都是早已在中国存在着的。但在帝国主义与封建买办的政治下，它们没法抬起头来，它们在困苦中挣扎，它们在衰萎，它们在没落。帝国主义的力量握住了中国的财政金融和工商交通的大权；官僚资本亦在助纣为虐的压迫民间资本。广大工农大众独立生产者的生机是斫丧得干净了，自由资产阶级的发展亦成了问题。因此客观的要求是在于推翻这些内外的压迫，是在于发展私人资本（包括劳动人民的个体经济），是在于改变国家资本的性质，是在于把个体经济组织成为各种各样的合作社。这就是新民主主义政治的经济基础，当然，这种经济条件与阶级力量的对比，是打成一片的。

就是因为如此，新民主主义的国家制度才能取得与可能取得产业工人、手工业工人、雇农、农民阶级、小资产阶级、自由资产阶级与开明的地主之同意。“自然，这些阶级之间亦有不同的要求，在这一点上，它们之间仍然是存在着矛盾的，例如劳资之间的矛盾。抹杀这种不同的要求，抹杀这种矛盾，是虚伪的与错误的，但是，这种不同的要求，这种矛盾，在整个新民主主义制度的阶段上，不会也不应该使之发展到超越共同要求之上。这种不同要求与这种矛盾，可以获得调节。在这种调节下，可以共同完成新民主主义国家的政治经济与文化的各项建设”（毛泽东语）。

中国经济的客观现实，需要新民主主义的政治去除掉它的压迫，去拔掉阻碍它的发展的障碍。一句话，我们需要新民主主义的政治去保障，去抚育新民主主义经济。八年的抗战，现在是胜利地结束了！和平建设的时期，正像清早的太阳一样，已经在地平线上浮现出来了。它在放射着万道金光，把整个天空渲染得美丽无比，但是，我们能够大意地认为从此以后一切问题就完全解决吗？不，不是的。法西斯分子正在翻云覆雨的进行捣乱。政治协商会议的五大决议，停战协定和整军协定，被反动派当作废纸，顶多只是在口头上承认而已，实际上却大肆破坏、曲解和窜改，这难道可以大意的吗？

如果从目前的经济情况来看，问题亦严重得很。战时经济原来是在疯狂的投机中辗转的。一切东西都依靠外国；一切事情都是投机取巧，胜利的鞭炮“放了”之后，后方的市场就马上萧条起来，收复区之混乱与疲弊，更是可想而知的。物价在暴涨之后，来了一回大跌；跌后又来了大涨。物价暴涨的时候，工商萧条；物价暴跌的时候，工商就更加萧条了。现在的后方与收复区，都在感受这种苦痛。看看当前的情况，似乎除了增发钞票与请求美国给与物资供给之外，没有别的办法。通货再发下去，物价黄金都可能回涨；但外国物资如果来得太猛，则物价虽可压平，而生产事业更会一蹶不振了。以如此之情势而谈建设新民主主义经济，当然是不可得的！只有改变这种妨害国家妨害人民利益的办法，只有确定新民主主义的经济政策，才能使中国经济在衰败的泥坑中爬起来，走上新生的康庄大道！但是，政治如果不民主，党治如果仍存在，则妨害国家与人民的办法，就没法废除；新民主主义的经济政策就没法厘定，没法实行了。

为了一新中国的面目，为了建立一个新民主主义的社会，为了实施新民主主义的经济建设，我们必需争取新民主主义的政治之实现。努力吧！全中国的同胞！

校后记

此书之作，始于一九四四年冬天，当时正是胜利的阴沉的前夜，政治经济的境况，酷似重庆雾中。种种的困难，亦使作者没法一口气写下去，直到日本投降的时候，还没完稿。金融政策以后各篇，是胜利以后（去年九月）写成的，故内容常有不联贯或过时之处，校稿时虽略加修改，但总未惬意，这是要请读者们原谅的。

财政经济政策中，土地与工业二项是以毛泽东先生的《论联合政府》报告为根据的。至于贸易、金融及财政各项，则多系个人见解，错误之处，在所难免，亟望海内贤达，不吝赐教！

一九四六年五月六日校毕，上海虹口公园旁。

三联经典文库第二辑简目

《游击战教程》　明凡 / 著

《游击战术纲要》　陶剑青 / 编著

《汪精卫卖国的理论与实践》　钱俊瑞 / 著

《抗战以来》　韬奋 / 著

《陕行纪实》　楚云 / 著

《随军散记》　沙汀 / 著

《被日寇囚系半载记》　王研石 / 著

《倭营历险记》　房沧浪 / 著

《活跃的新西北》　田影 / 编著

《保卫华北的游击战》　刘清扬　陈北鸥等 / 著

《徐州突围》　《徐州突围》编委会 / 编

《沦亡的平津》　长江　小方等 / 著

《淞沪火线上》　胡兰畦等 / 著

《瞻回东战场》　长江　罗平 / 著

《东线的撤退》　胡兰畦等 / 著

《抗战中的西北》　徐盈 / 著

《鲁闽风云》　徐盈等 / 著

《西线生活》　西北战地服务团集体创作

《中国解放区见闻》　［美］福尔曼著 / 朱进译

《全面抗战论》　潘汉年 / 著

《日本的间谍》　范士白自述 / 尊闻译

《日本大陆政策的真面目》　国难资料编辑社 / 编

《民众动员论》　李公朴 / 著

《中国外交史》　钱亦石 / 编著

《太平洋军事地理》　蒋震华 / 著

《世界经济地理讲话》　思慕 / 著

《列强军力论》　［德］马克斯 · 威纳尔著 / 宾符　仲持　梅益等译

《近代国际关系史》　张铁生 / 著

《太平洋现势手册》　沈志远　石啸冲 / 编著

《近代世界政治史》　钱亦石 / 著

《从战争到和平——一九四五年的世界政治》　乔木 / 著

《战后日本问题》　思慕 / 著

《最近一年间的国际动态（1946.7–1947.6）》　《东北日报》社 / 编

《论政党》　翟放 / 著

《法与宪法》　韩幽桐 / 编著

《中华民国宪法刍议》　罗家衡 / 著

《民主 · 宪法 · 人权——作之民》　费孝通 / 著

《宪法论初步》　潘念之 / 著

《对反民主的抗争》　韬奋 / 著

《农村改进的理论与实际》　江恒源 / 著

《上海产业与上海职工》（上下）　　朱邦兴　胡林阁　徐声 / 合编

《陶行知教育论文选辑》　　陶行知著 / 方与严编

《中国通货膨胀论》　　杨培新 / 著

《中国及其未完成的革命》　　H·普拉特著 / 蒋天佐译

《中国的建设问题与人的训练》　　卢作孚 / 著

《论中国特殊性及其他》　　艾思奇 / 著

《中国经济问题讲话》　　钱俊瑞　徐雪寒　王渔邨　姜君辰　骆耕漠 / 合著

《中国经济的道路》　　许涤新 / 著

《中国财政之病态及其批判》　　孙怀仁 / 著

《官僚资本论》　　许涤新 / 著

《五四运动之史的评价》　　陈端志 / 著

《中国通史简编》（上下）　　中国历史研究会　范文澜 / 主编

《论文学的工农兵方向——读〈在延安文艺座谈会上的讲话〉》　雪苇 / 著

《中国近代史（上编　第一分册）》　　武波 / 编著

《文学百题》　　傅东华 / 编

《中国史学之进化》　　周谷城 / 著

《论民族形式问题》　　胡风 / 著

《论批评》　　荃麟等 / 著

《中国史纲》（第一卷上下、第二卷上下）　　翦伯赞 / 著

《近代中国思想学说史》（1–4）　　侯外庐 / 著

《中国政治思想史》（上下）　吕振羽 / 著

《中国哲学史纲要》　向林冰 / 著

《中国政治史讲话》　钱亦石 / 著

《中国社会经济史纲》　王渔邨 / 著

《新财政学大纲》　千家驹 / 著

《太平天国革命运动论文集——金田起义百周年纪念》

　华北大学历史研究室 / 编

《理性与自由——文化思想批评论文集》　胡绳 / 著

《战斗者的诗人》　黄药眠 / 著

《国语文法》　曹朴 / 著

《教育哲学》　张栗原 / 著

《妇女问题讲话》　杜君慧 / 著

《婚姻 · 子女 · 继承》　沙千里 / 著

《性教育新论》　布士克　雅各生合著 / 董秋斯译

《狱中杂感》　杜重远 / 著

《七人之狱》　沙千里 / 著

《爱迪生传》　伍况甫 / 译

《歌德自传》（上下）　歌德著 / 思慕译

《尼赫鲁自传》　［印度］尼赫鲁著 / 毕来译

《列宁传》　［苏］凯尔任采夫著 / 企程　朔望译

《罗斯福总统传》　C．Mackenzie 著 / 张尚之译

《托尔斯泰传》（1–3）　［英］阿尔麦 · 莫德著 / 徐迟译

《革命文豪高尔基》　［美］亚历山大·康恩著 / 韬奋编译

《鲁迅纪念特辑》　新中国文艺社 / 编

《回忆鲁迅先生》　萧红 / 著

《人民文豪鲁迅》　平心 / 著

《亡友鲁迅印象记》　许寿裳 / 著

《鲁迅思想研究》　何干之 / 著

《鲁迅研究》　夏征农 / 编

《过来的时代：鲁迅论及其他》　雪峰 / 著

《电影戏剧表演术》　洪深 / 著

《日常心理漫谈》　［美］约瑟夫·查斯特罗著 / 曾宝施译

《心理常识漫话》　朱智贤　杨云美 / 著

《读书的方法与经验》　王任叔 / 著

《美国黑人生活纪实》　［美］加德维尔　斯坦倍克著 / 董秋斯译

《初访美国》　费孝通 / 著

《事业与成功》　［美］马尔腾著 / 汪原放译

《萍踪寄语（初集）》　韬奋 / 著

《一生的幸福前途——〈生活周刊〉信箱选集》　生活书店 / 编选

《深刻的印象》　生活周刊社 / 编

《海外的感受》　生活书店编译所 / 编